D1246026

LES CHRÉTIENS

**

LES CHRÉTIENS

Suite romanesque en trois volumes

* Le Manteau du Soldat
** Le Baptême du Roi
*** La Croisade du Moine

La liste des ouvrages du même auteur figure en fin de ce volume.

Max Gallo

LES CHRÉTIENS

**

Le Baptême du Roi

Fayard

« Il est deux catégories de Français qui ne comprendront jamais l'Histoire de France : ceux qui refusent de vibrer au souvenir de Reims ; ceux qui lisent sans émotion le récit de la fête de la Fédération. Peu importe l'orientation présente de leurs préférences. Leur imperméabilité aux plus beaux jaillissements de l'enthousiasme collectif suffit à les condamner. »

MARC BLOCH.
L'Étrange Défaite, 1940.

« Pour moi l'histoire de France commence avec Clovis, choisi comme roi de France par la tribu des Francs qui donnèrent leur nom à la France... Mon pays est un pays chrétien et je commence à compter l'Histoire de France à partir de l'accession d'un roi chrétien qui porte le nom des Francs. »

CHARLES DE GAULLE, *in* David Schoenbrunn,
Les Trois Vies de Charles de Gaulle,
1965.

Première partie

1.

C'était un vieil homme qui portait une tunique de laine brune serrée à la taille par un cordon de chanvre plus clair.

Il se tenait à l'entrée d'une grotte qui s'ouvrait dans la falaise calcaire surplombant le fleuve. Il était si voûté, le menton calé sur la poitrine, que je ne discernais pas son visage, seulement le haut de son front et son crâne bosselé couvert d'un mince duvet gris.

Il se nommait Parthénius et l'on disait qu'il avait connu Geneviève, la vierge qui avait protégé Lutèce, et Remi, l'évêque de Reims qui avait baptisé Clovis.

Plus tard, Parthénius avait aussi vécu dans l'entourage du roi franc et de la reine Clotilde.

Tous étaient morts, quand lui survivait dans ce monastère de Marmoutier que Martin, l'évêque de Tours, avait jadis créé.

— Pourquoi es-tu venu jusqu'ici ? me demanda Parthénius d'une voix lasse en redressant un peu la tête.

Ses joues et ses tempes étaient creusées, ses pommettes saillantes. Je devinais, derrière les paupières mi-closes, son regard voilé.

Il tendit le bras, montrant d'abord la Loire qui s'étirait en larges méandres, puis les marches de l'escalier étroit, taillées dans la roche blanche, que j'avais dû gravir pour atteindre la petite plate-forme, devant la grotte.

— Tu as vécu plusieurs vies, répondis-je. Les noms des empereurs se sont effacés, le tien est toujours présent. Tu as été de la mêlée des hommes. Tu as possédé des femmes. Tu as combattu avec le glaive. Tu as aimé et égorgé. Tu as vu les champs de bataille couverts des corps de milliers de barbares, Huns, Alains, Wisigoths. Tu as côtoyé les rois. On m'assure que tu as séjourné à Rome et à Byzance. Tu connais les grandes villes de Gaule, Trèves, Bordeaux, Orléans, Reims. Tu as défendu la Gaule sur les bords du Rhin. Puis tu es venu à Tours, tu t'es recueilli sur la tombe de saint Martin et tu t'es retiré dans cette grotte comme un ermite, un moine. Et je te retrouve ici.

— Pourquoi es-tu venu ? répéta-t-il. Je ne souhaite plus parler aux hommes, je veux seulement implorer Dieu de m'entendre et de m'accueillir.

Bougeant à peine les doigts, il fit de la main gauche un geste comme pour m'écarter.

— Va-t'en, murmura-t-il. Laisse-moi prier.

Je m'approchai de lui, au contraire.

— Je suis parti de Lutèce il y a déjà plusieurs semaines, repris-je. La route est longue pour venir jusqu'à toi. Mais tu es le seul à pouvoir faire le récit de nos origines. On m'a même dit que tu avais écrit notre histoire.

Parthénius secoua la tête tout en remuant les lèvres sans prononcer une parole. Enfin il marmonna qu'il n'avait voulu, en composant ses livres — il en avait écrit dix de chroniques, sept de miracles, un sur la vie des Pères, deux narrant sa propre existence — qu'illustrer les desseins de Dieu.

— Je n'ai moi-même pas d'autre but, répondis-je. Mais tes livres sont perdus : les barbares les ont réduits en cendres. Et tu t'es muré dans le silence. Tu gardes pour toi ce que tu sais sans te soucier de partager ces richesses avec les hommes qui cherchent à connaître les œuvres de Dieu, à suivre Sa trace. Si je suis venu jusqu'ici, c'est afin que tu me confies, pour la plus grande gloire du Seigneur, tous les trésors de ta mémoire.

— Je ne possède plus rien, grogna Parthénius. Ce que je savais s'est enfui.

Le vieil homme me tourna le dos et pénétra dans la grotte où je le suivis.

Une lampe à huile placée dans une niche éclairait les lieux. Je distinguai une table sur laquelle étaient disposées une cruche et une écuelle. Une cavité avait été creusée dans l'une des parois ; une mince couverture y était étendue à même la roche. C'est là que Parthénius devait coucher.

Le vieil homme s'était agenouillé dans le fond de la grotte, mains jointes.

— J'ai navigué sur la Seine et la Loire, commençai-je . À Tours, je me suis joint à la foule des pèlerins et j'ai prié comme eux devant les reliques de saint Martin, dans la basilique. Martin m'a parlé. Il m'a dit :

« — Va jusqu'à Parthénius et il te répondra.

Je m'approchai et m'agenouillai près de lui.

— Si tu gardes le silence, poursuivis-je, c'est comme si tu abandonnais un corps sans sépulture, à la merci des vautours. Le temps est un rapace. Il ne laissera rien de ta mémoire. Alors que les mots que tu me confieras seront comme les pierres taillées avec lesquelles je bâtirai une basilique. Les hommes s'y recueilleront après notre mort, comme les pèlerins se rassemblent aujourd'hui autour du tombeau de saint Martin.

Le vieil homme tourna légèrement la tête et me considéra.

— Tu es jeune et orgueilleux, murmura-t-il. Tu ne pourras rien construire sans l'aide de Dieu.

— J'ai l'espérance. Dis-moi ce que tu sais, et Dieu m'assistera.

Parthénius hocha la tête.

— Que veux-tu savoir ?

— Tout.

— Tu as l'avidité d'un homme dont la vie commence. Je suis vieux. Ma mémoire n'est plus qu'un chaos.

Il se leva, se dirigea à pas lents vers l'orée de la grotte.

— Elle est comme un éboulis au pied de la falaise..., ajouta-t-il en s'avançant sur la plate-forme.

Ces quelques pas semblaient l'avoir épuisé.

— ... et le souffle me manque souvent, put-il encore exhaler.

Je posai ma main sur son épaule et sentis ses os aigus sous ma paume.

— Ce sont les souvenirs qui t'étouffent, Parthénius, dis-je. Si tu me racontes ce que tu sais, tu respireras mieux.

Sous mes doigts, il me sembla que son épaule bougeait et que tout son corps se dénouait.

Il se pencha, sondant le brouillard qui peu à peu couvrait le fleuve d'un voile gris.

— Écoute..., murmura-t-il.

Puis il se tut, hochant la tête, les yeux fermés, les traits affaissés comme si tout son visage exprimait l'accablement, l'impossibilité dans laquelle il se trouvait d'ajouter quoi que ce fût.

Je saisis ses mains, les serrai.

Chrétien, insistai-je, il avait le devoir d'apprendre aux nouveaux baptisés, ainsi qu'aux païens qui refusaient encore de renoncer à leurs idoles, comment Dieu avait aidé les peuples et leurs rois à choisir la vraie foi, puis à vaincre les barbares et leurs fausses croyances.

— Tu le dois, Parthénius ! Laisse rouler tes souvenirs jusqu'à moi. Je les ordonnerai. Raconte-moi, même pêle-mêle ce que tu as vécu. Décris les miracles auxquels tu as assisté. Parle-moi des sacrifices, des souffrances que les chrétiens ont dû accepter. Fais le récit des batailles qu'ils ont livrées.

Il rouvrit les yeux, me regarda longuement.

— C'est plus long que tu n'imagines, une vie ! sourit-il tristement.

Il retraversa en sens inverse la plate-forme que le brouillard commençait à envahir et rentra dans la grotte.

2.

— Tu ne peux pas imaginer ce que nous avons vécu ! soupire Parthénius.

Recroquevillé sur la couchette creusée dans la roche, il serre ses jambes entre ses bras, le front appuyé sur ses genoux. Sa voix surgit de cette boule brune au centre de laquelle le crâne et la nuque forment une tache grise.

— Nous avions peur, reprend-il. Nous n'étions que quelques-uns sur les chemins de ronde pour défendre nos villes : Trèves ou Reims, Lutèce ou Orléans, alors que des peuples entiers de guerriers barbares déferlaient sur nous, semblant naître des forêts d'au-delà du Rhin. Ils avançaient nus, le corps souvent couvert du sang des sacrifices. Ils traversaient les fleuves — Rhin, Seine ou Loire — comme si l'eau était leur élément. Nous les tuions par milliers, mais d'autres leur succédaient, marchant sur les cadavres des précédents, se servant des morts entassés pour atteindre le faîte de nos murailles. Et ils apparaissaient tout à coup, leurs cheveux longs tombant jusqu'à leurs épaules, la nuque rasée. Ils hurlaient comme aucune bête féroce ne sait le faire. Ils brandissaient la hache. Ils lançaient le javelot avec une telle force qu'il crevait toutes les cuirasses, et la pointe transperçait le dos de ceux qu'il avait atteints.

« Nous avons appris à connaître les noms de ces meutes de loups aux corps et aux visages d'hommes : il y avait les Alains, les Vandales, les Sarmates, les Suèves, les Saxons, les Gépides, les Alamans, les Burgondes, les Goths et les Wisigoths ; puis vinrent les Huns.

« Après nous avoir chassés de nos villes, ils se battaient entre eux.

« Nous les observions, cachés dans les forêts où nous nous étions réfugiés comme des bêtes traquées. Nous étions chrétiens, déjà. Nous priions, agenouillés, la nuque baissée. Qu'avions-nous fait pour être ainsi abandonnés ? Les barbares pillaient les églises, violaient puis massacraient les femmes, brisaient les vases sacrés à coups de hache, fondaient les crucifix d'or et d'argent. Nous entendions leurs cris, leurs chants, les plaintes des prisonnières.

« Souvent j'ai pensé, je le confesse et m'en repens, que les dieux de mes ancêtres, que j'avais reniés pour choisir la foi du Christ, se vengeaient ainsi, châtiant les chrétiens, livrant leurs villes et leurs sanctuaires aux barbares.

« Rome, Rome elle-même était tombée entre leurs mains, et trois jours durant, elle, la Ville, avait été pillée et saccagée, ses habitants, citoyens d'un Empire devenu chrétien, soumis à l'implacable cruauté des Goths...

Parthénius a caché son visage sous ses paumes. Ses doigts longs et noueux enserrent son crâne. Il murmure que personne n'aurait pu défendre Rome contre les barbares ni les empêcher de déferler du Rhin jusqu'en Espagne, après avoir couvert de morts la Gaule entière.

— Tu les as pourtant combattus, lui dis-je. Et tu les as fait plusieurs fois reculer. Tu as été un soldat héroïque...

Parthénius lève un bras.

— Parle seulement de ce que tu as vu ! L'Empire s'effondrait comme un vieux palais dont les colonnes l'une après l'autre cèdent et s'écroulent. Bientôt il ne reste plus que quelques blocs de marbre parmi les gravats.

Il soupire et ajoute :

— Et si tu te penches et effleures ce marbre du bout des doigts, là où tu ne voyais qu'une pierre lisse, tu découvres tout un réseau de fêlures...

Il baisse enfin les mains, montre son visage.

— J'ai servi dans les légions de l'empereur Majorien, reprend-il. J'ai obéi à Aetius qui se proclamait patrice et maître des milices. Mais quand je regardais autour de moi les hommes en armes aux côtés de qui j'allais me battre, il me semblait être entouré par ceux-là mêmes que j'avais naguère affrontés sous les murs de Trèves ou de Lutèce. Il s'agissait de guerriers du peuple franc, qui se prétendait allié de Rome et dont les rois Chlodion, Mérovée, Childéric avaient juré d'enrayer l'avancée des Goths, des Wisigoths, des Alamans, des Suèves, des Vandales. Or qu'étaient-ils eux-mêmes, sinon un peuple barbare ? Je disais souvent à Severus, l'un de mes compagnons d'armes qui m'avait plusieurs fois sauvé la vie :

« — Ce sont des monstres, ils nous trahiront !

« Severus haussait les épaules.

« — Je suis bien un Germain et je sers Rome, répondait-il. Pour survivre, l'Empire doit se nourrir du sang des barbares, non pas seulement en les égorgeant, mais en s'abreuvant à cette rouge source de vie. Je suis germain et tout aussi chrétien que toi. Faisons des guerriers francs nos fils, et combattons avec eux les Huns !

« C'était le dernier peuple à surgir de la forêt, le plus sauvage. Étaient-ils même de race humaine, ces hommes qui vivaient sur leurs chevaux, se repaissaient de la chair des hérissons et se couvraient le corps de tuniques faites de peaux de rat ?

« — J'ai vécu parmi eux, me racontait Severus ; c'est comme si je m'étais en effet retrouvé parmi une portée de rats nauséabonds et cruels. Tous les autres peuples, même les Goths, ont quelque chose de l'homme ; ceux-là sont des créatures issues des plus noires profondeurs. Contre eux, tous les autres peuples peuvent devenir nos alliés...

« J'écoutais mon compagnon d'armes et observais les Francs. Leur visage était rasé à l'exception de fines moustaches. Leur chevelure, tirée en arrière depuis le front, était rassemblée au sommet du crâne, tandis que leur nuque était dégarnie. Leurs yeux étaient si clairs qu'ils avaient la transparence de l'eau.

« Je me méfiais d'eux, malgré les assurances de Severus, et me tenais toujours à distance, sachant qu'ils bondissaient haut et loin et étaient capables d'atteindre leurs ennemis en lançant leur hache à double lame. Je les avais vus abattre ainsi des Alamans, des Burgondes ou des Huns qui se trouvaient à plus de cent pas.

« Jamais ils ne m'avaient menacé, mais je les craignais. Païens, brutaux, ils enterraient leurs morts avec leurs chevaux, tuaient leurs proches pour s'arroger leurs biens ou leur pouvoir. Ils adoraient les dieux d'avant le Christ, sacrifiaient des vies pour honorer leurs idoles. Ils croyaient aux légendes. L'un d'eux un jour me raconta que la femme de leur roi Chlodion, s'approchant du bord de mer, avait été assaillie par une bête de Neptune, une sorte de

Minotaure qui l'avait fécondée ! Elle était ainsi censée avoir donné le jour à Mérovée, devenu leur roi, lui-même père de Childéric !

« Pouvait-on faire tant soit peu confiance à des païens ? avais-je demandé à Severus.

« Il s'était assis près de moi, sur ce talus qui, en aval de Lutèce, domine les berges de la Seine et à la pointe duquel est bâti le village de Nanterre. Là vivaient Severus, sa femme, Gerontia, et leur fille, Geneviève, que je ne connaissais pas encore.

« — Mieux vaut un peuple païen qu'un peuple hérétique, m'avait-il répondu.

« Or la plupart des barbares l'étaient, m'avait-il appris. Goths, Wisigoths, Burgondes avaient en effet choisi de croire au Dieu de Rome, s'imaginant sans doute désarmer ainsi plus facilement ceux qui restaient fidèles à l'Empire. Mais ils avaient refusé de croire au mystère de la sainte Trinité, à ce Dieu qui était à la fois homme et esprit. Ils se disaient chrétiens, mais n'avaient fait que changer d'idole !

« — Ce ne sont pas des disciples du Christ, avait poursuivi Severus. Ils croient seulement à la puissance de Dieu. Mais un homme divin qui accepte d'être crucifié comme un vaincu, ça, ils ne pouvaient l'admettre ! Ils ont suivi l'enseignement d'un prêtre d'Alexandrie, Arius, que tous les évêques ont condamné. Ce sont des hérétiques. Ton ennemi le plus dangereux est celui qui est le plus proche de toi. Tels sont ces adeptes de l'arianisme qui prétendent croire en notre Dieu. Les Francs, au contraire, sont loin de nous et nous les convertirons un jour à la vraie foi.

« Ainsi m'avait parlé Severus alors que nous regardions couler la Seine, tandis que tombait l'obscurité froide d'une nuit d'hiver…

3.

— Je dois expier, murmure Parthénius.

J'entends à peine sa voix. Le visage tourné vers la roche, il est allongé dans la cavité qui lui tient lieu de couchette. Son corps recroquevillé tremble. Il fait si froid que j'ai l'impression que mes propres jambes sont paralysées, mes genoux à jamais ankylosés. Je me tiens éloigné de la paroi de la grotte sur laquelle l'eau ruisselle.

J'ai déjà proposé à Parthénius d'allumer du feu dans le brasero que j'ai découvert, glissé sous la petite table. Chaque fois il a refusé, levant le bras, secouant la main. Puis, comme j'insistais à nouveau, il a dit que le froid était un châtiment qu'il devait s'infliger, qu'il méritait la souffrance, qu'elle lui permettait de s'élever vers Dieu, qu'il obtiendrait peut-être ainsi Son pardon pour les fautes qu'il avait commises.

J'ai protesté : Dieu ne l'aurait pas laissé vivre si longtemps s'Il avait voulu le punir, Il l'aurait précipité dans les gouffres de l'enfer au lieu de le laisser prier dans l'une des grottes du monastère de Marmoutier, en ce lieu sacré créé par saint Martin.

Parthénius s'est soulevé en s'appuyant sur un coude. Martin lui-même, dit-il, a refusé la chaleur d'un foyer, choisissant de dormir sur la pierre nue et condamnant les moines qui, jambes ployées, cuisses nues sous leur tunique, se chauffaient le ventre au-dessus des braises.

— Je dois expier, répète Parthénius.

— Mais qu'as-tu donc fait pour t'infliger une punition qui martyrise ta chair ? Ton corps n'est-il pas aussi création de Dieu, es-tu sûr de ne pas blasphémer en te laissant ainsi mordre par le froid ? Es-tu certain de ne pas verser dans l'orgueil ?

Il se retourne lentement, s'assied, s'agrippant des deux mains au bord de la couchette comme s'il craignait de basculer en avant.

— J'expie pour ne pas avoir cru en la parole d'une vierge qui était sainte, pour avoir moi aussi voulu la lapider, pour avoir douté d'elle au point de l'accuser de trahir sa foi, son peuple, sa ville de Lutèce. Je dois expier pour m'être obstiné dans l'erreur.

— Tu ne peux expier, lui dis-je, qu'en te confessant. En me racontant. Dieu le veut ainsi puisque je suis à côté de toi pour t'écouter.

Parthénius entame son récit :

— C'était Geneviève, la fille de Gerontia et de Severus, mon compagnon d'armes. Elle était blonde comme une femme franque. Parmi ceux qui ne l'aimaient pas, on disait à Lutèce qu'elle était attirée par la race et le sang des barbares.

« On ajoutait qu'elle quittait souvent la ville, remontait la Seine, conduite par les nautes, pour se rendre auprès des rois francs, Chlodion, puis Mérovée, puis Childéric. On la soupçonnait de vouloir leur livrer Lutèce. Quand elle rentrait, debout à la proue d'embarcations chargées de grain qu'elle rapportait des domaines que sa famille possédait au-delà de Meaux, on se précipitait parce qu'on avait faim, que le pain était aussi rare que l'or, mais on était sans reconnaissance pour elle qui avait affronté les périls.

« Le ventre plein, on s'étonnait même qu'elle eût pu rapporter ce blé, tromper ainsi les barbares qui encerclaient Lutèce. Qu'avait-elle promis aux Francs pour qu'ils acceptent de la laisser passer ? Certains affirmaient qu'elle partageait la couche d'un des rois francs ; d'autres prétendaient qu'elle était leur fille ou leur sœur. C'est ainsi que Severus, son vrai père, est mort de chagrin en constatant que la haine que Geneviève suscitait se faisait de jour en jour plus forte.

« Et moi, je m'étonnais aussi, comme tous ces gens aveugles, qu'une jeune femme si frêle pût affronter de tels périls, sortir de la cité, rencontrer les Francs, négocier avec eux. D'où tenait-elle son pouvoir ? Elle était vierge consacrée, il est vrai. Elle allait, vêtue de voiles blancs, ses cheveux blonds noués et dissimulés, priant avec les autres femmes, faisant l'aumône aux pauvres. Mais personne ne lui en savait gré. La peur bouchait les yeux et les oreilles.

« Quand j'ai appris que des hordes de Huns avaient franchi le Rhin, que leur chef, Attila, fondait sur Lutèce, que ses avant-gardes avaient même dépassé la ville et avaient mis le siège devant Orléans, j'ai cédé à la panique...

« J'avais déjà rencontré Attila lors d'une ambassade de quelques jours au camp des Huns. Je l'avais vu couché sur un lit de parade aux couleurs éclatantes, le visage impassible alors que, devant lui, ses guerriers tailladaient les joues de jeunes enfants pour que ces futurs guerriers s'habituent dès le plus jeune âge à la souffrance et pour que ces cicatrices profondes les défigurent, rendent leurs traits monstrueux afin de mieux effrayer leurs ennemis. J'avais déjà été terrorisé par ce peuple cruel qui écorchait vifs les prisonniers, éventrait les femmes après les avoir violées, déformait les crânes de ses propres fils pour qu'ils pussent plus facilement porter le casque.

« C'étaient ces Huns d'Attila qui marchaient sur Lutèce.

« Comme la plupart de ses habitants, j'ai voulu fuir la cité et j'ai lancé des pierres contre Geneviève qui nous assurait que Dieu la protégerait, repousserait les Huns loin de ses murailles.

« Comment croire cette femme, fût-elle vierge et invoquât-elle Dieu à genoux ? Parmi la foule, j'ai été de ceux qui hurlaient qu'on la jetât à la Seine avec une pierre au cou. Je n'ai pas cherché à la défendre quand certains ont commencé à lacérer sa tunique blanche, quand d'autres l'ont giflée, bousculée. Je n'ai pas été ému quand j'ai vu le sang couler le long de ses joues.

« Je pensais qu'il fallait châtier cette femme dont les origines barbares expliquaient la trahison. Hier elle avait été au service des rois francs ; à présent elle s'apprêtait à ouvrir les portes de Lutèce à Attila, et elle voulait que les habitants demeurent dans la cité pour s'y faire voler, violer, égorger. J'ai crié avec tous les autres :

« — Au fleuve, Geneviève ! Au fleuve, et que le courant l'emporte en enfer !

« J'avais été baptisé et n'entendais pourtant pas la voix de cette vierge sainte.

« C'est le successeur de l'évêque Germain d'Auxerre, Sedulius, qui l'a sauvée, se plaçant entre la foule et elle, criant que Geneviève était l'élue de Dieu, que Germain d'Auxerre l'avait, dès l'enfance, alors qu'il passait par Lutèce, reconnue comme disciple du Christ.

« La voix de Sedulius était forte et la foule, dont j'étais l'un des grains, s'est tue, domptée par l'évêque, laissant partir Geneviève, mais hésitant encore.

« C'est alors que la vierge, le visage ensanglanté, s'est tournée vers nous, et il m'a semblé que ses yeux me fixaient. Elle a crié :

« — Attila sera mis en déroute et s'enfuira vers l'est, puis vers les plaines d'Italie ! Que mon corps brûle et devienne cendres, que je meure si je vous ai menti !

« Quelques jours plus tard, les guetteurs qu'on avait placés sur les collines dominant Lutèce ont allumé des feux. Ces hautes flammes vives répondaient à celles qu'attisaient d'autres guetteurs qui, de sommet en sommet, depuis les champs Catalauniques, dans l'est de la Gaule, entre Seine et Marne, annonçaient que les hordes d'Attila avaient été vaincues par les milices d'Aetius et par des guerriers francs et wisigoths, barbares ralliés, décidés eux aussi à repousser les Huns.

« J'ai voulu m'agenouiller devant Geneviève, reconnaître ma faute. Elle avait eu raison de nouer des alliances avec les Francs et de croire en la protection de Dieu.

« Elle avait réussi à empêcher la fuite des habitants hors de Lutèce.

« J'avais été aveugle et sourd.

« Je devais expier.

« J'expie.

4.

Parthénius s'est tourné vers moi. Je découvre son visage malgré la pénombre de la grotte. Il est aussi blanc que la roche, strié comme elle de rides profondes. Sa lèvre inférieure tremble. Il ferme les yeux.

— Je dois te parler encore de Geneviève, reprend-il.

Il lève la main comme s'il craignait que je ne l'interrompe.

— Qui sait aujourd'hui ce qu'elle était, ce qu'elle a accompli ? Elle était devenue la maîtresse de Lutèce, celle que le peuple vénérait, suivait quand elle traversait le pont qui va de la grande île à la rive gauche de la Seine. Elle distribuait à chacun des pièces qu'elle gardait dans une bourse accrochée à sa taille. Souvent elle quittait la ville pour se rendre auprès du roi franc, Mérovée, puis, après la mort de ce dernier en 457, de son fils Childéric. Elle séjournait dans leur palais à Tournai, et, comme je l'y ai plusieurs fois accompagnée, j'ai vu le respect, voire l'admiration qu'on lui témoignait.

« Elle ne leur cédait sur rien. Un jour, elle exigea de Childéric qu'il relâchât les prisonniers wisigoths qu'il avait faits en combattant ces barbares sur les rives de la Loire. J'ai entendu le roi s'étonner qu'elle plaidât la cause de ces hommes qui étaient aussi ses ennemis, puisqu'elle était chrétienne et qu'ils étaient des hérétiques : ne suivaient-ils pas la foi d'Arius ? Childéric le païen avait souri : bien sûr, ce n'était pas à lui, qui ne croyait qu'aux dieux de son peuple, de donner un avis. Il s'inclinait donc, Geneviève de Lutèce devant avoir ses raisons.

Parthénius hoche la tête.

— Elle en avait, en effet. Elle espérait qu'un jour tous les barbares de Gaule seraient baptisés. Elle voulait que les rois francs soient les premiers convertis, puis qu'ils entraînent leur peuple dans le baptême.

Parthénius écarte les bras.

— Je n'ai compris son dessein, celui de Dieu, que beaucoup plus tard. Alors seulement je remarquai à quel point l'autorité de Geneviève s'était affirmée. Elle avait décidé de faire construire une basilique pour accueillir la dépouille de saint Denis, le martyr chrétien. Elle en avait choisi l'emplacement sur la rive droite de la Seine. Plusieurs évêques de Gaule se rassemblèrent autour d'elle pour la consécration de l'édifice. Ce jour-là, la plupart des habitants de Lutèce se réunirent pour acclamer Geneviève, et, parmi eux, je remarquai, non sans inquiétude encore, ces Francs dans leurs tuniques blanches ou rouges brodées d'or. Ils portaient leur hache à double tranchant. Ils étaient si nombreux qu'il me sembla que Lutèce était devenue une ville franque. L'empire de Rome avait été dissous en 476 par un médiocre chef de guerre, le barbare Odoacre. Quelques hommes qui se proclamaient maîtres des milices — Aegidius, Syagrius — et avaient servi les tout derniers empereurs — Olybrius, Romulus Augustule, ces pauvres pantins —, tentaient de gouverner à leur profit les débris de ce qui avait été la plus vaste et la plus orgueilleuse entreprise de l'histoire du monde. Que pouvaient-ils, face à ces Francs vigoureux et nombreux ? Comme d'autres — ainsi Remi, évêque de Reims —, Geneviève avait décidé qu'il fallait, pour étendre la foi chrétienne, quitter le palais impérial et convertir les Francs.

— Il y avait la Nouvelle Rome, Byzance, ses églises, sa richesse, ses armées, fais-je observer.

Parthénius se redresse.

— On connaissait Geneviève à Byzance et même au-delà ; jusque dans le désert d'Antioche, on vénérait son nom. Tu ignores qui est Siméon Stylite, n'est-ce pas ? Cet homme, ce sage, ce pieux avait été moine dix années durant, reclus dans une cellule encore plus exiguë que cette grotte. Un jour, elle lui sembla encore trop vaste et il décida de s'installer entre sable et ciel, au sommet de la colonne d'un temple païen abandonné, sur un carré de marbre où il pouvait à peine se tenir assis. On vint le consulter comme un oracle, et lui-même interrogeait en retour les pèlerins qui le vénéraient. Par des voyageurs venus de Gaule, il apprit ainsi qui était Geneviève. L'action de notre vierge lui parut si exemplaire qu'il ne manqua jamais de questionner ses visiteurs et de leur confier des messages pour la sainte de Lutèce.

— Tu ne m'as rien dit de Byzance, Parthénius...

— C'était la ville de la magnificence. Partout l'or et l'émeraude s'y reflétaient dans le cristal. Les fils de soie y étaient tramés avec des fils d'argent. Mais la richesse ne rendait pas l'empereur aveugle. Il avait reçu, m'affirmait-on, Childéric au temps où celui-ci avait été exilé loin du territoire des Francs, ceux-ci lui reprochant ses mœurs dissolues. Est-ce au retour de Byzance que, séjournant parmi le peuple des Thuringiens, Childéric en vint à épouser la femme de leur roi ? Ne t'étonne pas. C'est cette femme, Basine, qui se rendit d'elle-même auprès de Childéric :

« — Je connais ton mérite, lui dit-elle, je sais que tu es très énergique, et c'est pourquoi je suis venue habiter avec toi. Apprends, Childéric, que si j'avais connu quelqu'un de plus méritant que toi, c'est lui que j'aurais choisi, et j'aurais, comme je le fais pour toi, quitté pour lui mon époux.

Parthénius soupire.

— Ainsi sont les femmes de race germanique, Franques ou Thuringiennes. Sais-tu ce qu'avait dit l'évêque Germain d'Auxerre quand il avait rencontré à Nanterre, en aval de Lutèce, la jeune Geneviève et l'avait destinée à Dieu : « Agis comme un homme ! » C'est ce qu'elle a fait : Basine, la reine païenne de Thuringe, s'est elle aussi comportée comme un guerrier quand elle a conquis Childéric à la façon dont on emporte une place forte. Quand elle mit au monde son premier fils en 466, elle le nomma Clovis, qui signifie : « célèbre par ses combats ».

« Le nom est le premier visage d'un homme.

5.

J'ai retrouvé Parthénius dans le froid vif, sous le ciel clair de l'aube.

Il s'était glissé hors de la grotte alors que je m'étais assoupi. Debout sur la plate-forme, appuyé des deux mains à l'un des blocs qui formaient une barrière naturelle au-dessus du vide, bras tendus, tête levée, les yeux fixant un soleil sans chaleur mais qui répandait une lumière blanche, il m'apparut moins voûté, presque vigoureux, tel un prédicateur dressé dans sa chaire au-dessus de la foule des croyants.

Je me suis approché. Au pied de la falaise, la Loire était un long ruban de paillettes éblouissantes.

— La vie du monde est ainsi, a commencé Parthénius sans même me regarder. Elle obéit à la volonté de Dieu qui a voulu la mort et la résurrection. Ainsi s'efface le jour dans le brouillard du crépuscule, puis vient la nuit, ce noir tombeau où se préparent les renaissances. Enfin, voici l'aube neuve. L'Empire est mort, vivent les royaumes !

Il avait parlé d'une voix assurée, puis, après quelques instants de silence, il s'est tourné vers moi :

— Geneviève est elle aussi venue à Tours s'agenouiller, comme toi, devant la tombe de saint Martin.

Il tendit le bras, montrant le fleuve, la vallée.

« Nous avions descendu la Loire ; nous avions été plusieurs fois attaqués par des barbares, des Wisigoths, ces hérétiques, qui lançaient sur notre navire des nuées de flèches. Mais ils hésitaient à nous aborder tant nous montrions, nos glaives levés, de résolution, et tant surtout Geneviève, seule à la proue, incarnait le courage, la foi dans notre victoire s'ils eussent engagé le combat.

« La nuit, nous tirions notre embarcation sur les bancs de sable qui se trouvent au milieu du fleuve. Parfois, nous perdions pied, car les courants tourbillonnants modifiaient les contours de ces îles fugitives ; nous sautions alors à bord de notre embarcation et cherchions un autre refuge.

« Au bout de plusieurs jours, nous sommes arrivés à Tours et l'évêque Perpetuus nous a accueillis avec tous les fidèles rassemblés. Nous avons découvert cette basilique au cœur de laquelle se trouve la sépulture de Martin. Geneviève a d'abord prié. L'on se pressait autour d'elle. Des énergumènes gesticulaient comme des possédés, mais, d'un signe de croix, d'un frôlement du doigt, elle les a exorcisés.

« Après, elle a dit d'une voix qui claquait comme une bannière par grand vent :

« — Ici repose Martin qui laboura et ensemença la Gaule et commença de voir germer la vraie et juste foi. Regardez aujourd'hui cette basilique haute et fière, comptez-vous, innombrables grains du peuple de Dieu : tout cela est la promesse de la grande moisson de Martin de Tours !

Parthénius fit quelques pas sur la plate-forme, se pencha, resta un long moment accoudé au-dessus de la vallée.

— Ce jour-là, murmura-t-il, j'ai su que je viendrais ici, à Marmoutier, pour retrouver les traces de Martin, prier là où il avait prié.

Il hocha la tête.

— Il m'a fallu toute une vie pour voir enfin mon vœu exaucé.

— Tu as labouré, toi aussi, durant ces années, lui fis-je remarquer.

Il secoua la tête, les yeux mi-clos.

— Je n'ai jamais été qu'une pierre de l'édifice. Un grain de la récolte.

Il s'approcha et reprit :

— Si tu avais connu Geneviève, tu saurais ce qu'est un être auquel Dieu a accordé Sa grâce et dont la flamme sacrée rayonne, illumine la vie, éclairant ceux qui l'entourent. J'ai été de ceux-là.

Il fixa de nouveau le soleil dont la lumière maintenant brûlait les yeux.

— Je n'ai côtoyé dans ma vie que quelques êtres qui, comme elle, étaient habités par la lueur divine, ajouta-t-il au bout d'un moment. Il y a eu Remi, l'évêque de Reims, et puis Clotilde, l'épouse de Clovis. Je te parlerai d'eux plus tard. Mais Geneviève était la plus haute flamme, peut-être aussi vive que celle que portait en lui Martin de Tours.

« Que serait devenue la Gaule sans ces êtres-là ? Ils l'ont convertie. Ils l'ont faite royaume chrétien. Ils ont résisté aux hérétiques, les Wisigoths des rois Euric et Alaric, les Burgondes du roi Gondebaud. Ils ont choisi le peuple franc afin qu'il devienne le soutien de la foi et que ses guerriers, païens à l'origine, barbares aussi cruels, aussi sauvages que les autres, Goths, Vandales ou Burgondes, soient un jour les serviteurs du Christ.

« J'ai vu cela au cours de ma vie, mais comment aurais-je pu l'imaginer, moi qui n'avais pas la lumière, moi qui étais resté édifié, assistant à la mise au tombeau d'un roi franc, Childéric, par le spectacle de cette cérémonie païenne ?

« J'ai vu creuser sa tombe royale hors de la ville de Tournai. J'ai vu son corps revêtu de ses habits de soie brodée d'or. On l'avait enveloppé dans son manteau de pourpre semé d'abeilles d'or. En regardant son visage qu'encadraient ses longs cheveux bouclés séparés en leur milieu par une raie, on eût dit la statue d'un dieu païen. Il portait un ceinturon garni de clous d'or auquel était accrochée une bourse remplie de monnaie d'or et d'argent. J'avais vu les pièces amoncelées sur une table voisine de la dépouille.

« J'ai vu aussi ses proches le soulever, agrafer autour de son cou un collier formé de médailles. Puis ils ont glissé à son poignet droit un lourd bracelet, et à son doigt une bague ovale, et les assistants ont scandé l'inscription qui y était gravée : CHILDERICI REGIS.

« Enfin on a descendu le corps dans une fosse circulaire d'une trentaine de pas, et l'on a placé près du corps ses armes, sa lance royale d'un côté, de l'autre sa grande épée et sa hache d'arme à deux tranchants.

« J'ai regardé tout cela sans pouvoir imaginer que le peuple qui célébrait cette cérémonie païenne pourrait un jour demander le baptême.

« J'ai vu abattre le cheval de bataille du roi parce que, selon la coutume barbare, il devait reposer, harnaché, auprès de son maître. Et j'ai vu comment les guerriers francs ont placé sur ce cheval un masque de taureau !

« Païens, païens ! ai-je pensé, me souvenant de ces cultes de l'Empire où l'on égorgeait les taureaux afin d'être aspergé par leur sang.

« Païens, païens ! me suis-je indigné quand j'ai vu creuser autour de la fosse royale trois autres fosses dans lesquelles on a égorgé puis enfoui quatre, sept, dix chevaux !

« Païens, païens qui croyaient que le souverain allait chevaucher ces destriers afin de continuer à combattre dans l'au-delà !

« On avait même suspendu à la garde de l'épée de Childéric une boule de cristal, un talisman.

« Lorsque j'ai rapporté à Geneviève ce que j'avais vu et ressenti lors de ces funérailles du roi des Francs, elle a paru pensive. Elle s'est agenouillée et a longtemps prié. Quand elle s'est relevée, elle m'est apparue sereine.

« — Si nous voulons que naisse un royaume chrétien, Dieu ne nous laisse pas d'autre issue que de nous allier aux Francs, m'a-t-elle dit. Voudrais-tu, Parthénius, que nous acceptions que notre Gaule du Nord soit conquise par les Wisigoths d'Alaric, les Ostrogoths de Théodoric ou les Burgondes de Gondebaud, tous hérétiques, tous ariens ? C'est nous qui devrons un jour convertir à la vraie foi l'Aquitaine des Wisigoths, l'Italie des Ostrogoths, les pays de l'Est des Burgondes.

« — Le pourrons-nous ? ai-je demandé à Geneviève. Que sont les Francs après la mort de Childéric ? Un petit peuple dont le roi Clovis n'a que quinze ans ! Est-ce sur cet homme si jeune, sans expérience, sur ses guerriers païens que tu comptes pour répandre la vraie foi alors que, partout, les peuples ariens paraissent si puissants ? Sais-tu que ses troupes appellent Alaric, le roi des Wisigoths, « notre seigneur le très glorieux, et qu'on nomme Gondebaud, le roi des Burgondes, le « généralissime des Gaules » ? Face à eux, que pourra Clovis, ce roi de quinze ans ?

« Je me souviens du sourire de Geneviève, de sa voix murmurant :

« — C'est le dessein de Dieu ; à nous de le servir.

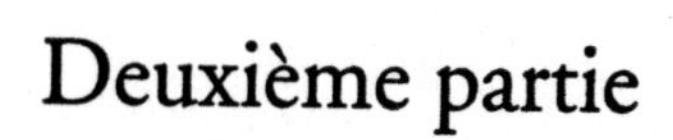

Deuxième partie

6.

— Clovis était grand..., reprit Parthénius.

Il s'était assis sur la plate-forme, à gauche de l'entrée de la grotte, les genoux repliés contre la poitrine, les mains nouées autour des genoux, la nuque appuyée à la roche blanche que le soleil chauffait.

Je m'étais installé en face de lui, le dos contre le bloc de pierre qui servait de balustrade naturelle à la plate-forme.

— Personne ne pouvait douter que ce jeune homme dont les longs cheveux blonds bouclés, séparés par une large raie médiane, tombaient sur les épaules ne fût le roi des Francs.

Parthénius, qui jusqu'alors avait fixé le soleil, baissa la tête et me regarda comme s'il attendait que je le presse de poursuivre.

Depuis l'aube, je ne lui avais posé aucune question, mais je sentais qu'il avait changé d'attitude. En lui un barrage avait enfin cédé et le flot des souvenirs emportait ses réticences.

— Il suffisait de le voir pour oublier sa jeunesse. Sa majesté et sa force s'imposaient. Il dépassait de la tête les guerriers de sa garde personnelle, les antrustions, qui se tenaient en arrière, leur hache d'arme à deux tranchants sur l'épaule. On la nomme francisque, te l'ai-je dit ?

Il parut étonné de mon silence, hésita puis reprit :

— Clovis se tenait debout au bord de la fosse circulaire où l'on avait déposé le corps de Childéric. La chambre mortuaire avait été creusée dans le sol rocheux ; un coffrage fait de troncs taillés en soutenait le plafond et les parois. Clovis n'a pas tressailli quand on a commencé à faire glisser la terre dans la fosse, puis à élever une sorte de pyramide de la hauteur de trois hommes. Il a simplement redressé un peu le front comme s'il voulait que son regard effleure le sommet du tumulus. Mais son corps en partie caché par un manteau de soie rouge aux liserés d'or est resté figé. Sa main droite était serrée sur la hampe de la framée, cette lance royale qui tenait lieu de sceptre. De la main gauche, il s'appuyait sur l'extrémité du manche de sa francisque. Il portait des bagues à tous les doigts, des bracelets aux poignets, et trois colliers.

« Rassemblés autour du tumulus et des trois fosses encore ouvertes où l'on avait déposé les corps des chevaux de guerre sacrifiés, les Francs ne le quittaient pas des yeux.

« Tout à coup, quand on a eu fini d'amonceler et de tasser la terre, les antrustions ont hurlé par trois fois « CLOVIS ! » de leurs voix violentes comme des coups de hache.

« Je me suis souvenu des cris lancés par les barbares quand ils se précipitaient, hache levée, contre les murailles de Trèves ou d'Orléans, de Reims ou de Lutèce, que j'avais avec Severus tenté de défendre. Et maintenant j'étais parmi eux, m'inclinant devant la tombe de leur roi Childéric, célébrant l'avènement de leur nouveau souverain qu'ils soulevaient au-dessus de leurs épaules. Et, debout sur leur pavois, Clovis brandissait sa lance...

Parthénius avait baissé la tête et son attitude exprimait soudain l'accablement et même le désespoir.

Il murmura que le vieil Empire, celui de Constantin et de Théodose, ce grand Empire qui avait fait sienne la religion du Christ, n'était plus qu'un champ de ruines, et que les chrétiens, les fidèles de la vraie foi, la catholique, étaient ses seuls héritiers.

Il soupira :

— Mais Clovis était encore un païen, même si ses ancêtres Mérovée et Childéric avaient servi les derniers empereurs, même si Geneviève et Remi de Reims les avaient choisis comme les plus utiles alliés de notre Église.

« Geneviève m'avait convaincu de cela, ajouta-t-il en redressant la tête. Mais il y a parfois loin des mots et des idées aux choses. Il me fallait accepter de côtoyer ces guerriers blonds qui égorgeaient des chevaux pour honorer leur roi. Il me fallait rencontrer ces femmes franques aux longs cheveux dénoués, aux regards insistants, aux gestes brutaux, à la voix rauque et aux rires tonitruants. Il me fallait écouter les trois sœurs de Clovis : Lantéchilde, que l'on disait hérétique, arienne, Alboflède et Audoflède, catholiques l'une et l'autre, mais Audoflède mariée à Théodoric le Grand, le roi ostrogoth, arien lui aussi et allié de l'empereur d'Orient, qui n'avait pas renoncé à reconquérir l'Occident.

« Comment aurais-je pu croire ce jour-là que Clovis et son peuple seraient un jour les meilleurs défenseurs de notre foi ?

« Comment même imaginer que Clovis puisse devenir le seul maître de cette seconde Belgique dont la belle capitale était Tournai et où son peuple vivait, alors que ce territoire était aussi revendiqué par Syagrius, fils d'un maître des milices, un homme qui se faisait appeler roi des Romains, qui régnait depuis Soissons où il résidait, représentant d'un empereur qui n'existait plus ? Mais ses soldats, des barbares, le reconnaissaient pour roi, et, du sud de la Gaule, en Aquitaine, les Wisigoths le soutenaient...

Parthénius tenta de se lever et je me précipitai pour l'aider.

Le soleil s'était voilé. L'humidité gagnait depuis le fond de la vallée et les premiers bancs de brouillard glissaient au-dessus de la Loire.

Debout, Parthénius s'approcha de la barrière de rocher à l'extrémité de la plate-forme. Il regarda le fleuve disparaître peu à peu sous l'épaisse nuée grise.

— Tous autant qu'ils étaient, reprit-il, Alaric, le seigneur très glorieux, Gondebaud, le généralissime des Gaules, Théodoric le Grand, roi des Ostrogoths, Syagrius, roi des Romains, se croyaient aussi puissants qu'invincibles. Tous...

Parthénius se tourna vers moi, pointant son index sur ma poitrine.

— Tous avaient oublié que leur foi hérétique, leur arianisme les condamnait. Parce que, comme le répétait Geneviève, il y avait un dessein de Dieu, et nous, ses fidèles, agissions pour qu'il se réalise.

Parthénius se dirigea vers l'entrée de la grotte, ajoutant :

— La force de Clovis, c'était celle de Dieu, de notre Église, du soutien que les chrétiens et leurs pasteurs allaient lui apporter contre les peuples hérétiques.

Je rejoignis le vieil homme qui s'était arrêté sur le seuil comme s'il attendait que je soulève la pièce d'étoffe protégeant la grotte de la pluie.

— Maintenant, murmura-t-il, je vais te parler de Remi, l'évêque de Reims.

7.

Bras croisés, les mains dissimulées dans les manches de sa tunique de laine brune, Parthénius marchait dans la grotte d'une paroi à l'autre, heurtant parfois la petite table.

Il paraissait la proie d'une émotion intense qui l'empêchait de s'immobiliser.

Il semblait même avoir oublié ma présence, marmonnant plus qu'il ne parlait, et j'avais du mal à suivre ses propos. Mais, parfois, il élevait la voix, non pour moi, puisqu'il ne m'accordait aucun regard, mais comme s'il voulait scander avec solennité des noms, des phrases qu'il avait besoin d'entendre répéter.

Il évoqua ainsi d'abord Rome, la grandeur de cette ville qui avait été choisie par Dieu pour devenir la cité de l'apôtre Pierre, Rome dont le sol avait été gorgé du sang des martyrs, mais celui-ci avait fécondé l'Empire, contraint Constantin et Théodose à s'agenouiller devant la foi des hommes et des femmes que leurs prédécesseurs païens avaient livrés aux bêtes sauvages dans les amphithéâtres.

Rome, en ce temps-là, était l'unique cité au monde où seuls étaient considérés comme étrangers les esclaves et les barbares. Les chrétiens avaient voulu que même ces êtres-là, rejetés, fussent reconnus pour des fils de Dieu, et que le baptême pût les élever au rang d'hommes. Telle était la tâche des catholiques, de leurs évêques : faire renaître Rome enfouie sous les dominations païennes, faire surgir des ruines un empire chrétien, aussi grandiose qu'une basilique à l'échelle du monde. Martin, Geneviève avaient jeté les fondements de cette construction. Remi s'était joint à eux pour bâtir cette église et accueillir dans son chœur ce peuple franc qui venait de se donner un jeune roi, Clovis, dont le nom disait qu'il serait « célèbre par ses combats ».

Parthénius s'est assis sur le bord de sa couchette. Il a posé ses mains à plat sur ses genoux et j'ai fixé ses doigts noueux, à la peau translucide, qui dessinaient sur la laine deux taches blafardes.

— Tu regardes mes mains, me dit-il en soulevant la gauche et en l'élevant devant mes yeux. Tu vois mes os : je ne suis plus qu'un squelette encore habillé de peau. La chair s'est déjà consumée. La mort en moi a tout dévoré.

Il laissa retomber sa main.

— Si Dieu me garde encore vivant, c'est peut-être en effet pour que je puisse te parler d'un homme, Remi, bien plus vieux que moi, que le Seigneur a maintenu dans ce monde assez longtemps pour qu'il connaisse à la fois les derniers empereurs de Rome et Attila, qu'il sache qu'Odoacre avait immolé l'empire d'Occident en 476, qu'il veuille enfin que Mérovée, Childéric et leur peuple de Francs deviennent les défenseurs et les propagateurs de la foi. Il est né longtemps avant Clovis et mort bien après lui.

— Tu as vécu encore plus longtemps que Remi, Parthénius ! protestai-je en posant mes mains sur les siennes.

Ses doigts étaient si froids que je dus faire effort pour ne pas retirer aussitôt les miens et ne pas trembler comme si je venais de toucher un cadavre.

— Il n'est pas difficile de survivre quand on n'est qu'un galet que le courant entraîne, dit Parthénius en repoussant mes mains. Mais Geneviève, mais Remi, eux, étaient le courant...

Il s'interrompit et se pencha en avant, nouant ses doigts, les coudes appuyés sur ses cuisses.

— Celui qui a entendu, celui qui a lu les sermons de Remi ne peut l'oublier.

Parthénius avait plaqué ses mains toujours jointes sur ses lèvres et je dus m'approcher pour discerner son murmure.

— Il était marqué du sceau de Dieu. Lorsqu'il a été élu évêque de Reims, il avait à peine vingt-deux ans.

Qui, en voyant ce frêle jeune homme tout juste issu des écoles gallo-romaines de sa ville, lui eût accordé la moindre chance d'influencer l'histoire de son temps ?

Parthénius éleva la voix et continua, les yeux mi-clos :

— Les rois wisogoth et burgonde, Alaric et Gondebaud, paraissaient puissants et invincibles, l'un en Aquitaine, l'autre sur tous les territoires bordant la Saône et le Rhône, qu'on commençait déjà à appeler la Burgondie. Que pouvait Remi contre eux ? Que pouvait-il aussi contre Syagrius, roi des Romains, en son palais de Soissons ? Mais Dieu l'éclairait, et Geneviève le convainquit d'appuyer les Francs saliens qui s'étaient installés en Belgique Seconde et dont les rois successifs — Mérovée, Childéric, Clovis — résidaient à Tournai.

Parthénius ouvrit ses mains.

— Bientôt, dans toute la Gaule, on commence alors à connaître le nom de Remi.

Il secoua la tête.

— Tu n'imagines pas comment, en Bretagne ou en Aquitaine, en pays païen ou arien, chez les adorateurs d'idoles ou chez les fidèles de l'hérésie, des évêques courageux, pasteurs d'une poignée de catholiques, lisaient haut et fort les sermons de Remi. Je me souviens...

Parthénius s'interrompit et resta plusieurs minutes silencieux avant de reprendre d'une voix grave :

— J'étais à Clermont. Geneviève avait voulu que je me rende auprès de l'évêque Sidoine Apollinaire pour le convaincre de cesser de soutenir Gondebaud, le roi hérétique. Sidoine m'avait écouté, puis m'avait expliqué qu'il pensait réussir, grâce à sa politique, à ramener les Burgondes dans le grand troupeau de la vraie foi. Il m'avait montré un volumineux manuscrit. Il s'agissait des textes des sermons de Remi, qu'un voyageur s'était procurés à Reims.

« — Il y a fort peu de personnes capables d'écrire ainsi, me dit l'évêque de Clermont. La phrase est forte et ferme, tous ses membres bien liés par des conjonctions élégantes ; toujours coulante, polie et bien arrondie...

— Lui-même avait appris par cœur de nombreux passages de ces sermons.

« De ce jour-là j'ai pensé que Remi serait l'un des plus habiles charpentiers de ce que voulait construire Dieu en Gaule.

Tout en parlant, Parthénius s'était levé.

Il n'était plus le vieillard au dos voûté, traînant les pieds, squelette seulement vêtu d'un peu de peau. Il semblait que le souvenir de Remi et de ce que l'évêque de Reims avait entrepris eût redonné chair et vigueur au corps du vieil homme.

— Remi comme Geneviève, comme moi grâce à eux, nous avions compris que l'Église, notre Église avait reçu mission de continuer l'Empire romain.

« Je t'ai déjà dit que les chrétiens étaient ses héritiers. Mais celui qui reçoit un champ en héritage doit le labourer, semer, veiller à ce que la moisson lève, et chasser les bêtes qui viennent la saccager. Voilà la tâche à laquelle Remi s'était adonné, tout comme Geneviève, et bientôt comme Clotilde, l'épouse de Clovis. Mais je te parlerai d'elle plus tard, quand elle sera devenue la reine des Francs.

Parthénius s'était rassis.

— J'étais encore à Tournai quand, quelques jours après l'inhumation de Childéric, est parvenue la lettre que Remi adressait « Au Seigneur illustre et magnifique par ses mérites, le roi Clovis ». L'évêque de Reims le reconnaissait ainsi comme souverain et chef des guerriers francs, mais aussi au service de Rome.

Parthénius hocha la tête.

— Comme Rome n'était plus qu'une ville chargée de souvenirs, tombée aux mains des Ostrogoths, être au service de Rome revenait désormais à se trouver aux côtés de l'Église, au service de Dieu. Dès lors, comment l'Église aurait-elle pu ne pas soutenir Clovis ? Comment Dieu aurait-Il pu se désintéresser de son destin ? C'est là toute l'histoire de notre temps...

8.

Parthénius ne s'était pas trompé.

Quand j'ai retrouvé plus tard la lettre de Remi, j'ai constaté que le vieil homme avait gardé intact le souvenir des termes employés par l'évêque de Reims.

Remi avait bien écrit « Au Seigneur illustre et magnifique par ses mérites, le roi Clovis ».

En lisant, j'ai découvert le style d'un homme fier de sa mission, sûr de lui, habité par la foi.

Remi a alors quarante-quatre ans. Il est évêque depuis vingt-deux ans déjà. Il écrit à un roi païen de quinze ans dont le père et le peuple ont été des alliés dans la lutte contre les barbares.

Il trace sans hésiter le chemin que doit suivre le jeune roi des Francs.

Il s'exprime avec l'autorité de celui qui parle au nom de la *militia Christi* — la milice du Christ — et s'adresse à un souverain qui représente la *militia togata* et la *militia armata* (la loi et les armes).

Je veux vous faire lire cette lettre, dont Parthénius dit qu'elle est parvenue à Clovis en 481, dans les jours qui suivirent l'inhumation de Childéric :

Au Seigneur illustre et magnifique par ses mérites,
le roi Clovis — Remi, évêque.

Une grande rumeur est arrivée jusqu'à nous.

On dit que tu viens de prendre en main l'administration de la Seconde Belgique.

Ce n'est pas une surprise que tu commences à être ce qu'ont toujours été tes parents.

Il te faut veiller tout d'abord à ce que le jugement du Seigneur ne t'abandonne pas et à ce que ton mérite se maintienne au sommet où l'a porté ton humilité. Car, selon le proverbe, c'est aux actes et à leurs fins que l'on juge les hommes.

Tu dois t'entourer de conseillers qui puissent te faire honneur.

Pratique le bien. Sois chaste et honnête.

Montre-toi plein de déférence pour tes évêques et recours toujours à leur avis.

Si tu t'entends bien avec eux, ton pays s'en trouvera bien.

Donne du courage à ton peuple, relève les affligés, fasse que tout le monde t'aime et te craigne.

Que la voix de la justice se fasse entendre par ta bouche.

N'attends rien des pauvres ni des étrangers, et ne te laisse pas offrir des présents par eux.

Que ton tribunal soit accessible à tous, que nul ne le quitte avec la tristesse de n'avoir pas été entendu.

Avec ce que ton père t'a légué de richesses, rachète les captifs et délivre-les du joug de la servitude.

Si quelqu'un est admis en ta présence, qu'il ne s'y sente pas humilié.

Amuse-toi avec les jeunes gens, mais délibère avec les vieillards, et, si tu veux régner, montre-t-en digne, juge et agis en noble.

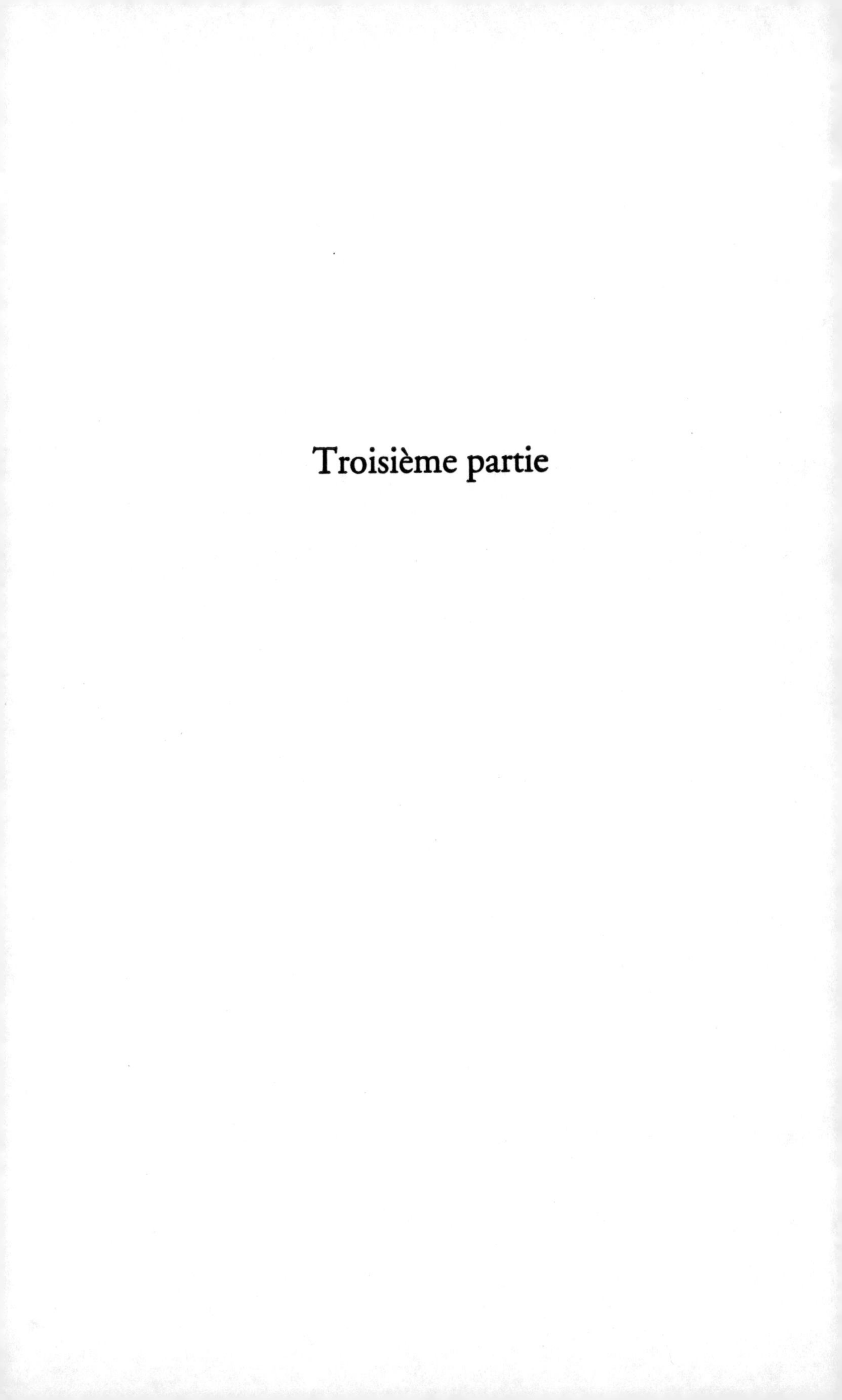

Troisième partie

9.

— Ce que devient un homme lorsqu'il est nommé roi à quinze ans, qui peut le savoir ? murmura Parthénius.

Nous avions quitté la grotte en fin de matinée et marchions côte à côte sur la berge de la Loire.

J'avais été surpris par la décision qu'il avait prise de descendre dans la vallée, mais, m'avait-il expliqué, il avait fait le serment de se recueillir une fois par mois là où Martin avait autrefois débarqué, choisissant ce lieu, Marmoutier, pour y fonder son monastère. Tendant le bras, il m'avait montré une anse sablonneuse comprise entre deux blocs rocheux.

La journée était douce comme une pause inattendue dans l'hiver.

Parthénius s'arrêtait souvent pour regarder les quelques oiseaux qui frôlaient de leurs ailes blanches les eaux sombres du fleuve. Sa respiration rauque et saccadée devenait haletante quand l'un d'eux, vif comme une flèche, plongeait dans les flots et en ressortait un poisson prisonnier dans son bec noir. Parthénius détournait alors la tête, les lèvres tremblantes, et je ne savais trop s'il priait ou s'il cédait à l'émotion instinctive d'un vieillard.

Il me prit le bras, non pour s'y appuyer, mais pour m'entraîner à l'écart de la rive, vers le sentier qui sinuait entre les buissons.

Il reprit alors son souffle, s'apaisa, répéta que nul ne peut savoir ce que devient un homme lorsqu'il est nommé roi à quinze ans.

— Dieu lui a ouvert toutes les portes. Mais laquelle va-t-il franchir ?

Il leva la tête, me regarda fixement, et ajouta :

— Dieu est souverain, mais Il laisse l'homme libre de ses choix. Après seulement vient le jour du Jugement.

Lorsque nous eûmes atteint l'anse où les fidèles qui avaient accompagné Martin avaient tiré sa barque sur le sable, Parthénius s'agenouilla, m'invitant à prier avec lui. Puis nous nous assîmes sur l'un des rochers dominant la rive.

Après un long silence, le vieillard se remit à parler.

Il se souvenait, dit-il, de la toute dernière phrase de la lettre qu'avait adressée Remi à Clovis dans les jours qui avaient suivi la mort de Childéric : « Amuse-toi avec les jeunes gens, avait écrit l'évêque de Reims, mais délibère avec les vieillards, et, si tu veux régner, montre-t'en digne, juge et agis en noble. »

— Est-ce ainsi qu'il s'est conduit ? ai-je demandé. Est-ce cette porte-là qu'il a franchie, ce chemin-là qu'il a suivi ?

Parthénius a semblé ne pas entendre ma question, et, en le regardant, j'ai eu l'impression qu'il ne savait plus où il se trouvait, dans quel temps il vivait.

Son visage était figé, ses paupières mi-closes, ses lèvres remuaient à peine, si bien que je dus me pencher vers lui pour entendre le récit qui l'emportait loin de cette berge de la Loire.

— J'allais souvent à Tournai, obéissant ainsi aux ordres de Geneviève. Elle m'expliquait que des choix que ferait Clovis dépendrait le sort des peuples de la Gaule du Nord : seraient-ils abandonnés à leur paganisme, continueraient-ils, malgré tous les efforts des évêques, à adorer les idoles, à égorger des taureaux, parfois même à sacrifier des nouveau-nés, à crucifier leurs prisonniers, ou bien — et ce n'était pas moins périlleux — seraient-ils submergés par l'hérésie, la religion des Wisigoths ?

« Geneviève s'inquiétait : Syagrius, le roi des Romains, avait noué des liens avec le roi wisigoth, Alaric. Il rassemblait des troupes entre Somme et Loire, entre Manche et haute Meuse, dans ce royaume qu'il s'était taillé. Les évêques rapportaient qu'il passait ses journées à faire ripaille dans son château d'albâtre qui dressait ses hauts murs dans le quartier nord de la ville de Soissons, sa capitale. Ses coffres débordaient de pièces d'or et d'argent. Soissons était une cité riche, les rues y résonnaient du bruit des marteaux qui forgeaient les lames des glaives et le métal des cuirasses. Plus loin, dans d'autres ateliers, on tannait le cuir des boucliers, et des charpentiers fabriquaient des balistes prêtes à lancer leurs boulets de pierre.

« Syagrius, les chrétiens de Soissons en étaient persuadés, se préparait à la guerre, ne pouvant accepter qu'un autre souverain que lui régnât sur la Gaule du Nord, cette Belgique Seconde dont Clovis se proclamait le roi.

Parthénius se tut un long moment, le visage tourné vers la falaise aveuglante comme un miroir dans lequel se reflète le soleil, attirante comme un abîme vers quoi on se sent sur le point de se précipiter.

— J'allais donc à Tournai..., reprit Parthénius d'une voix monocorde. J'étais admis dans l'antichambre du roi. J'entendais des rires. Je voyais passer de jeunes esclaves aux cheveux dénoués, le haut de leur robe dégrafé, leur visage rouge, leurs yeux brillants.

« À mon retour à Lutèce, je disais à Geneviève que Clovis se distrayait en effet comme un jeune roi païen.

On assurait qu'il avait une épouse dont personne ne connaissait le nom ni n'avait aperçu le visage, mais qu'elle lui avait donné un fils, Thierry. Clovis exigeait de voir cet enfant chaque jour, et l'un des proches du roi me confia que lorsque le garçonnet avait eu un accès de fièvre, son père n'avait pas quitté son chevet, délaissant les femmes et la chasse.

« — Ce roi est de bonne semence, avait commenté Geneviève.

« Elle m'avait longuement interrogé sur le peuple des Francs, sur la garde personnelle du roi ; ces antrustions, au nombre de trois mille, formaient une phalange qui, lorsqu'elle apparaissait, boucliers soudés les uns aux autres, haches dressées, prêtes à être lancées, semait la terreur.

« — Ils sont comme une francisque dont rien ne saurait ébrécher le fil, avais-je dit.

« — Ils suivront leur roi là où il ira.

« Geneviève avait paru rassurée. Cette armée franque pourrait ainsi s'opposer aux troupes de Syagrius qui n'étaient qu'un rassemblement d'hommes que rien, sinon l'intérêt, ne liait à leur chef. Les troupes du Romain se déferaient comme une gerbe secouée si les guerriers de Clovis les frappaient avec force et foi. C'était le vœu et le choix de Geneviève et de Remi, comme de tous les autres évêques de Gaule du Nord, que Clovis agisse ainsi. Il était la hache de l'Église.

« Il devait frapper Syagrius qui avait choisi de s'allier aux hérétiques wisigoths.

« Il était celui qui pouvait préserver ce qui restait de l'héritage de Rome : un ordre, la loi.

« Ni Remi ni Geneviève n'ignoraient cependant que Clovis était encore un jeune roi vivant et pensant comme un barbare, même s'il respectait le souvenir et les vestiges de Rome et si la flamme de l'amour paternel brûlait en lui.

Paraissant se souvenir de ma présence, cherchant même, me sembla-t-il, mon approbation, Parthénius se tourna tout à coup vers moi, m'observa quelques instants, puis reprit :

— Geneviève me le répétait à chacun de mes départs pour Tournai, comme si elle avait voulu m'en persuader ou craint que je ne vinsse à l'oublier : le peuple des Francs saliens était l'espoir de l'Église.

« Elle savait — je me souviens encore de la force avec laquelle elle disait cela — que Dieu avait choisi ce peuple et son jeune roi pour accomplir Son dessein en Gaule.

« Elle ajoutait que je devais expliquer à Clovis que les évêques étaient, dans toutes les villes de Gaule, les seuls dignitaires à être respectés et obéis, y compris par les peuples qui étaient encore païens. Les hérétiques ariens eux-mêmes craignaient leur autorité. Et Alaric et Gondebaud, le Wisigoth et le Burgonde, n'osaient les contraindre ni les frapper de peur d'en faire de nouveaux martyrs dont l'exemple eût enflammé les peuples.

Parthénius avait haussé sa voix, tout à coup devenue claire et forte, même si par moments elle se mettait à trembler, l'émotion, à l'évocation de ces souvenirs, se faisant trop grande.

— Lors de mon dernier séjour à Tournai, au début de l'année 486, j'ai demandé à être entendu par le roi et ses conseillers. J'ai été introduit dans une grande salle au sol couvert de fourrures. Clovis, qui était maintenant un homme de vingt ans, m'apparut plus grand encore, assis sur un haut siège de bois sculpté, la francisque appuyée à l'un des accoudoirs. Il tenait de la main droite la hampe de sa framée. Il avait le visage impassible de ceux qui sont regardés à tout instant. On eût dit une statue au torse serré dans un justaucorps fourré recouvert d'une cuirasse d'or. Les pierres ornant son large ceinturon noir brillaient. Les flammes des torches accrochées aux murs se reflétaient dans les lames des haches que les guerriers de la garde, debout de part et d'autre du trône, tenaient à deux mains.

Parthénius baissa la tête.

— Je n'ai pas parlé de Dieu à Clovis, reprit-il après un long silence. Geneviève m'avait recommandé :

« — N'évoque avec lui que ce qu'il peut comprendre. C'est encore un roi païen. Il respecte la force. Ses conseillers sont à son image, des adorateurs d'idoles qui ne connaissent que le tranchant de la hache ; des barbares qui célèbrent des sacrifices. N'oublie pas cela, Parthénius. Parle-lui de la puissance de notre Église. Dis-lui seulement que le roi et le peuple qui auront les évêques à leurs côtés seront victorieux et deviendront les maîtres de l'avenir. Ne lui parle pas encore de Dieu.

« J'ai suivi les conseils de Geneviève. Je ne lui ai parlé que de l'aide que les évêques lui apporteraient s'il décidait de faire la guerre à Syagrius. À son regard soudain brillant d'intérêt, au mouvement de sa lance qu'il inclinait, tendant son bras droit, j'ai su qu'il m'avait entendu.

Parthénius s'interrompit une nouvelle fois tout en se tournant lentement vers moi.

— Je ne m'attribue aucun pouvoir ni ne m'arroge aucun rôle, reprit-il. Je n'ai été que le messager de Geneviève et celui de Remi, avec qui elle correspondait et qui partageait ses vues.

Il écarta les mains comme pour invoquer une force qui lui était supérieure et à laquelle il se soumettait.

— Clovis et ses conseillers savaient quelle était l'influence des évêques en Gaule. J'apportais au jeune roi une promesse d'alliance émanant de tous ces pasteurs, donc du troupeau de leurs fidèles. Quelques jours plus tard, Clovis a lancé un défi à Syagrius en lui proposant de le rencontrer en un combat singulier qui trancherait du sort de la guerre. Syagrius s'est dérobé et a préféré rassembler ses troupes, cette horde de soldats sans foi...

Parthénius se leva et se mit à marcher en direction de la falaise. Le soleil commençait à se voiler, les oiseaux blancs au bec noir lançaient des cris plus aigus ressemblant à des hurlements humains.

— Je n'ai pas assisté à la bataille, reprit Parthénius tout en avançant. Clovis avait fait appel à deux autres rois francs : Ragnachaire, qui régnait à Cambrai, et Chararic, qui gouvernait plus au nord. Je sais que ce dernier se tint à l'écart des combats, attendant d'en connaître l'issue pour manifester son soutien au vainqueur. Quand, plus tard, Clovis évoquait cet épisode, sa mâchoire se contractait, son visage prenait une expression cruelle, les yeux pareils à des fentes, les joues creusées de rides profondes comme des cicatrices. J'ai compris à ce moment-là que cet homme serait un roi impitoyable et vindicatif, qu'il resterait le fils d'un peuple barbare fermé à la pitié.

Au pied de l'escalier conduisant à sa grotte, Parthénius s'est arrêté comme s'il redoutait cette ascension. Les marches grossièrement taillées dans la pierre calcaire étaient ébréchées, inégales, et aucune rampe ne les séparait du vide.

— Clovis a montré sa cruauté dès cette première guerre, reprit le vieil homme. Vaincu en une seule bataille, Syagrius s'était réfugié auprès du roi Alaric, à Toulouse, capitale des Wisigoths. Le roi franc dépêcha des guerriers sur les bords de la Loire, là où commençait le royaume d'Alaric qui, au cours des années précédentes, s'était étendu depuis ce fleuve jusqu'à l'Auvergne, si bien que la basilique de Tours, dédiée à Martin, se trouvait aux mains des hérétiques. Mais Alaric savait lui aussi quelle était la force des évêques. Il n'avait donc rien entrepris contre ce sanctuaire. Il venait en outre de comprendre que les Francs Saliens de Clovis étaient désormais une puissance victorieuse dont les ambitions ne se limiteraient pas là. Il livra donc Syagrius à Clovis.

Parthénius commença à gravir les premières marches. Je le suivis. Il se retourna.

— Tels sont les hommes, murmura-t-il. Si souvent lâches, presque toujours cruels.

Il soupira, s'arrêta, s'appuyant de l'épaule contre la paroi de la falaise.

— Je me suis rendu à Soissons dans ce château d'albâtre où Clovis s'était maintenant installé, dormant dans le lit même où avait couché Syagrius. Ce dernier était enchaîné dans une fosse ; les guerriers francs jetaient sur lui de la viande sur laquelle grouillaient des vers et couverte d'excréments. Vaincu, le roi des Romains était devenu pour eux moins qu'un animal. Qu'aurais-je pu dire en sa faveur ? Peut-être, en le traitant ainsi, ces barbares se souvenaient-ils du sort qu'autrefois, il y avait plus de trente lustres, les Romains avaient eux-mêmes réservé à leurs captifs ? Les consuls avaient livré des centaines de prisonniers francs aux bêtes sauvages dans l'amphithéâtre de Trèves ; Clovis les vengeait en humiliant et en tuant lentement le descendant d'Aetius et d'Aegidius, les maîtres des milices de l'empereur romain.

Parthénius reprit son ascension.

— Je ne sais trop quand Syagrius eut la tête tranchée, ajouta-t-il. Nul ne se souciait plus de lui. Chacun se terrait, car ces Francs dont les évêques reconnaissaient et saluaient la victoire, agissaient en barbares, égorgeant, volant, violant, réduisant en esclavage les sujets du roi vaincu. J'ai vu passer des jeunes femmes aux jambes entravées, liées entre elles par des chaînes qui leur serraient le cou. Je me suis signé. J'ai imploré le pardon de Dieu. J'ai prié pour que les appels à la clémence adressés à Clovis par Geneviève et Remi soient entendus, pour que le roi franc libère ces milliers de captifs, qu'il protège les biens des habitants des campagnes et des villes conquises.

Je vis devant moi Parthénius se voûter, presque chanceler tout en continuant de gravir les hautes marches.

— Mais ce n'était partout que pillage et barbarie, et, en dépit de la protestation des évêques, des églises furent saccagées, des crucifix brisés et fondus, des vases sacrés emportés... J'ai interrogé Geneviève : était-ce là la volonté de Dieu ?

« Elle a baissé la tête

« — Aucun de nous ne peut percer le mystère divin, a-t-elle répondu. Les hommes choisissent. Ils sont aveugles et cruels. Tu le sais, Parthénius. Mais le dessein de Dieu s'accomplit toujours. La basilique s'élève même si les maçons se révèlent paresseux et maladroits, même si le sang de leurs crimes se mêle à l'eau dans le mortier.

« J'ai prié avec elle pour que la pitié emplisse le cœur de Clovis. Mais le meurtre et le pillage ne cessèrent que lorsque les Francs furent las de tuer et qu'il n'y eut plus rien à voler.

À cet instant, alors que nous étions déjà montés très haut le long de la falaise et que nous apercevions l'entrée de la grotte, Parthénius trébucha et j'empoignai sa tunique afin de le retenir, craignant qu'il ne basculât dans le vide qui semblait l'attirer.

10.

Parthénius est resté longtemps recroquevillé sur sa couchette.

Il s'y était allongé dès notre retour dans la grotte, cachant son visage sous la mince couverture dont il s'était enveloppé.

Son immobilité était telle que je m'approchai de lui à plusieurs reprises pour écouter sa respiration. Elle était si faible et irrégulière que j'ai pensé qu'il allait mourir d'épuisement, terrassé par la fatigue de la marche jusqu'à l'anse sablonneuse, puis par l'ascension à flanc de falaise de l'interminable escalier.

Lorsqu'un moine a déposé sur la petite table une grosse écuelle remplie d'un épais brouet noir, ainsi que deux morceaux de pain à la croûte rugueuse et à la mie gluante, j'ai demandé à Parthénius de se lever.

Il ne m'a pas répondu.

Je l'ai questionné avec une angoisse croissante, puis, comme il ne bougeait toujours pas, j'ai osé lui toucher l'épaule, le suppliant de me répondre.

Brusquement, d'un geste violent du bras gauche, il a rejeté la couverture et s'est redressé.

Jamais je ne l'avais vu ainsi, les mâchoires serrées, des rides d'amertume ou de colère lui cernant la bouche.

Il m'a écarté, s'est penché et, saisissant l'écuelle à deux mains, il l'a portée à sa bouche, ne la reposant qu'après l'avoir vidée.

Il m'a alors regardé avec hostilité.

Puis, d'une voix sourde, il m'a dit que ce n'était pas la fatigue qui l'accablait, mais les souvenirs de ces années, qu'il avait crus enfouis.

Il a pointé le doigt sur moi, me menaçant, la main agitée d'un tremblement.

Il avait cru ce passé recouvert de silence, de solitude et de méditation, de prières. Il avait sollicité tant de fois le pardon de Dieu qu'il s'était imaginé qu'il n'aurait pas à revivre, avant le jugement ultime, ce qu'il avait vécu.

Mais j'étais venu le forcer à exhumer tout cela.

Et il reparcourait maintenant ce chemin de barbarie, de Reims à Soissons, tout au long duquel l'armée franque n'avait laissé que désolation.

Des corps tailladés, mutilés gisaient dans les fossés. Les bêtes étaient éventrées, leurs dépouilles lacérées par les charognards noirs. Enfoncées, brisées, les portes des maisons laissaient voir les pièces saccagées. Quelques vieillards erraient, allant d'un corps à l'autre, pleurant un fils enlevé, martyrisé, une fille souillée.

Tous les captifs avaient été poussés sur la route en direction de Soissons, comme un troupeau. Les chariots chargés de butin suivaient. Les Francs s'apprêtaient à déverser tout ce qu'ils avaient volé en un énorme tas sur l'aire située devant le château d'albâtre, puis ils tireraient au sort ce qui reviendrait à chaque soldat.

À l'instar de chacun de ses guerriers, le roi était soumis à la loi du hasard qui présidait à ce partage. Au cours de ce rituel barbare, le seul privilège de Clovis consistait à recevoir le cinquième du butin.

— Je suis arrivé à Soissons le matin du tirage au sort, expliqua Parthénius. J'ai vu cette pyramide d'objets pillés, les coffres d'église en bois sculpté, les ornements sacerdotaux mêlés aux armes des vaincus et aux bijoux de leurs femmes. Autour de cet amoncellement, les guerriers francs rôdaient comme des loups, les yeux brillants, bondissant pour montrer le bien qu'ils convoitaient. Ils invoquaient leurs dieux barbares afin qu'ils favorisent l'assouvissement de leurs désirs.

« J'ai aperçu presque aussitôt le vase d'or et d'argent qui avait été volé dans une église de Reims. Il était à l'écart du tas, grand, ciselé, brillant, attirant tous les regards. Lourde de métal précieux, cette pièce rare avait servi à recevoir les offrandes des fidèles. Lorsqu'il m'avait reçu dans son palais épiscopal, Remi me l'avait décrit comme le plus sacré des vases de ses églises. Il fallait, m'avait-il dit, que Clovis le lui restituât.

Parthénius se leva et marcha jusqu'à l'entrée de la grotte.

La nuit était passée, l'aube effacée, l'après-midi déjà terni par les brumes du crépuscule.

— Comprends-tu ? me dit-il en revenant vers moi.

Je dus paraître incertain, car il haussa les épaules et son visage exprima de la commisération, presque du mépris.

Pour l'évêque de Reims, m'expliqua-t-il, il s'agissait de contraindre Clovis, roi victorieux, encore grisé par le fracas de la bataille, à reconnaître qu'il devait respecter l'Église, admettre que la croix pouvait se révéler plus forte que la hache.

— Remi, poursuivit Parthénius, m'avait recommandé de parler à Clovis avec respect mais fermeté. Je devais exiger humblement, mais exiger. Tels avaient été ses termes. Et l'évêque d'ajouter que l'attitude de Clovis montrerait ce qu'il était : seulement un chef barbare, un guerrier franc parmi d'autres guerriers, ou bien un roi digne de son grand-père Mérovée et de son père Childéric, mais promis à un plus grand avenir qu'eux, la Gaule ayant besoin d'un souverain et l'Église étant prête à soutenir celui qui saurait se montrer digne de cette fonction.

« — Regarde Clovis, avait insisté Remi, guette les tressaillements de son visage, rapporte-moi chacun de ses gestes, chacune de ses paroles. Rappelle-lui la lettre que je lui ai adressée le jour où la mort de son père l'a fait roi. Sa tâche est difficile, ses antrustions se sont gavés de sang durant cette bataille, ils sont ivres de violence, ils veulent rester barbares. Clovis est comme un cavalier qui doit dompter la monture qui le porte. Tu me raconteras, Parthénius…

Parthénius a commencé à briser l'un des quignons de pain, roulant ensuite entre ses doigts la mie noire.

— Ce jour-là, reprit-il, j'ai vu la colère et même la rage enflammer les yeux de Clovis. Il s'était arrêté devant le vase, puis avait tourné tout autour, me regardant souvent comme s'il hésitait, jaugeant à travers moi la force des évêques, les concessions qu'il devait leur consentir.

« Puis il fit face à ses guerriers qui s'étaient rapprochés et ne quittaient pas des yeux le butin amoncelé.

« Tout à coup, il a touché de la hampe de sa framée le bord du vase, décrétant d'une voix tranchante qu'il voulait qu'on lui attribuât ce vase-là avant le tirage au sort. Il a défié ses propres guerriers en dévisageant ceux qui se tenaient au premier rang. Il a répété, appuyant sa main sur le vase :

« — Je le veux !

Et de la foule des soldats a jailli un cri :

« — Il est à toi, prends-le !

« Clovis s'est tourné vers moi. Pour la première fois, j'ai deviné qu'il souriait. Il a tendu le bras dans ma direction, mais, à cet instant précis, une voix a lancé :

« — Tu n'auras que ce que le sort t'attribuera vraiment, et rien d'autre ! C'est notre loi, nous la connaissons tous : applique-la !

« J'ai vu alors la rage enflammer le regard et empourprer les traits de Clovis. Il a cherché des yeux le soldat qui l'avait ainsi interpellé.

« C'était un homme immense qui s'appuyait des deux mains aux lames de sa francisque. Le menton levé, les lèvres serrées, tout son visage exprimait la résolution et le dédain.

« Cet homme s'est approché du butin et, brusquement, levant sa hache, il l'a abattue avec force sur le vase sacré.

« — Ceci est à nous tous et ne sera à un seul d'entre nous qu'à l'instant où nos dieux l'auront décidé.

« Puis il a regagné son rang.

« Clovis l'a suivi, puis s'est immobilisé devant lui, sa main gauche tenant le manche de sa hache. Il m'a regardé, puis a parcouru des yeux la première ligne de ses troupes.

« Je sentais son hésitation face au dilemme qui venait de lui être imposé.

« Il a fait brusquement un pas en arrière et j'ai craint qu'il n'ait ainsi pris son élan pour lancer sa hache. Mais il a crié :

« — Qu'il soit fait selon nos règles ! Que le tirage au sort commence et que chacun reçoive ce que le hasard et nos dieux lui donnent !

« Il est passé devant moi alors que toute l'armée l'acclamait, chaque soldat brandissant sa hache et sa lance, si bien que c'était une forêt de métal qui se dressait tout à coup sur l'aire.

« Clovis n'a pas paru me voir. Il est allé s'asseoir sur le trône de bois sculpté qui avait été placé devant l'entrée du château d'albâtre.

« Je l'ai observé. Comme à son habitude, il était impassible, mais, en scrutant son visage, en remarquant ces ridules aux commissures de ses lèvres, j'ai deviné son amertume, l'effort qu'il avait fait pour ne pas châtier sur-le-champ l'impudent soldat, la maîtrise qu'il lui avait fallu pour essuyer l'affront et se plier, lui, roi vainqueur, aux règles du rituel et au jeu du hasard.

« J'ai découvert ce jour-là que régner, c'est aussi obéir.

« Il n'a paru ni surpris ni satisfait quand les soldats qui organisaient le tirage au sort ont déposé devant lui le vase qui venait de lui être attribué.

« Il l'a examiné, penchant un peu la tête, comme s'il voulait évaluer le dommage qu'avec son coup de hache le soldat avait provoqué. Puis il m'a appelé d'un geste et je me suis avancé.

« — Remets-le à ton évêque, m'a-t-il dit. Dis à Remi que je me souviens de sa lettre et que j'ai grand respect pour sa sagesse et pour son Dieu. Mais — il a marqué un temps d'arrêt — ici, comme tu as pu le voir, ce sont encore nos lois et nos dieux qui gouvernent...

« Lorsque j'ai remis le vase à Remi et lui ai décrit cette scène et rapporté ces propos, il m'a fait répéter chaque détail, chaque mot. Et, peu à peu, j'ai vu son visage, d'abord fermé, s'éclairer.

« Nous étions dans l'une des grandes salles du palais épiscopal. Le vase récupéré avait été placé au centre. La lueur des cierges s'y reflétait, irisant les ciselures qui, comme les nervures d'une plante, montaient du pied vers l'ouverture du vase.

« Remi s'est approché, caressant les flancs de l'objet sacré, murmurant que le destin de celui-ci, rendu à un évêque par un roi barbare qui reconnaissait ainsi la puissance de l'Église et le respect dû à Dieu, montrait que les chrétiens avaient eu raison de soutenir Clovis.

« — Certes, a ajouté Remi, il a dit « Ce sont encore nos lois et nos dieux qui gouvernent », mais mesure,

Parthénius, l'intelligence et la portée du mot *encore*. Clovis dit le fait d'aujourd'hui, mais en marque en même temps les limites.

« D'un pas vif, Remi a traversé la salle et est allé s'agenouiller au pied du crucifix.

« Lorsqu'il s'est relevé, il était souriant et serein :

« — Ce roi pressent qu'un jour il sera dans l'Église, et il sait que nous sommes prêts à l'y accueillir.

C'est plus tard, au milieu de la nuit, dans la pénombre humide de la grotte, que Parthénius, dont je ne voyais que le bas du visage à peine éclairé par la chandelle placée sur la petite table, m'a raconté comment Clovis, qu'il appelait le « roi rancunier », s'était vengé du soldat irrespectueux.

Parthénius séjournait alors à Soissons dans le château d'albâtre, où il négociait avec Clovis l'entrée des troupes franques à Lutèce, puisque Geneviève avait décidé qu'il fallait reconnaître l'autorité du souverain barbare sur toute l'étendue de la Gaule du Nord. Elle avait été rassurée, comme Remi, par l'habileté de Clovis. Avec l'aide du hasard, il est vrai, n'avait-il pas à la fois respecté les lois barbares de son peuple et renforcé son alliance avec l'Église ?

Un matin — sans doute le 1er mars 487 —, Parthénius avait été réveillé à l'aube par les hennissements des chevaux, le choc des armes, les éclats de voix des soldats. S'étant rendu sur l'aire, devant le château d'albâtre, il avait découvert toute l'armée franque alignée, attendant que Clovis la passât en revue.

Il avait reconnu au premier rang le soldat rebelle, parce que autour de lui ses camarades avaient laissé un grand espace vide, comme s'ils avaient voulu marquer qu'ils l'avaient déjà abandonné à son sort.

Parthénius avait suivi des yeux Clovis qui, sortant du château, entouré par les antrustions, avait commencé à examiner les armes des soldats, toisant chacun et le forçant à baisser les yeux.

Il était enfin parvenu à la hauteur de celui qui, quelques mois auparavant, en ce même lieu, l'avait défié.

Tout à coup, Clovis avait hurlé :

— Nul n'est aussi mal équipé que toi ! Ta framée, ton épée, ta hache, rien ne vaut !

Il avait arraché la hache des mains du soldat, l'avait jetée à terre, et quand l'homme s'était penché pour la ramasser, Parthénius avait vu Clovis lever sa propre francisque, et, d'un seul coup, fendre la tête du malheureux.

Reculant d'un pas alors que le soldat gisait à terre, le sang jaillissant de son crâne ouvert en deux, Clovis avait lancé :

— C'est ce que tu as fait avec le vase !

Il avait alors demandé aux soldats de quitter les lieux en laissant le cadavre là, sur l'aire, sans sépulture, afin que l'esprit du mort ne trouvât plus jamais le repos.

Les guerriers s'étaient éloignés, silencieux. L'effroi se lisait dans leurs yeux. Leurs têtes baissées marquaient leur soumission au roi et la terreur qu'il leur inspirait.

— Je vois cet homme à la tête fracassée comme s'il était encore étendu devant moi, murmura Parthénius. Et j'entends encore le cri des rapaces qui se disputaient à coups de bec ses yeux et sa chair.

Le vieil homme s'agenouilla.

— Laisse-moi prier, implora-t-il.

11.

— À vingt-cinq ans, Clovis était déjà devenu un grand roi, commença Parthénius ce matin-là.

Le ton las sur lequel il avait prononcé ces premiers mots m'étonna.

Le vieillard était assis, les avant-bras appuyés à ses cuisses, ses mains osseuses et blêmes pendant entre ses jambes écartées, comme accablé par le constat qu'il venait de faire.

Je ne comprenais rien à son attitude : la réussite de Clovis n'avait-elle pas été souhaitée par Geneviève et Remi, par la plupart des évêques de Gaule et par tous les chrétiens qui espéraient qu'avec lui, grâce aux conquêtes qu'il ferait, la juste foi, celle de Rome, se répandrait en lieu et place du culte des idoles ou de l'hérésie arienne ? Parthénius lui-même n'avait-il pas œuvré pour que Clovis l'emportât ?

Il s'employa alors à raconter comment il avait traité au nom de Geneviève avec le roi des Francs.

Lutèce, qu'on commençait à appeler Paris, était encore encerclée par les soldats de Clovis qui venaient de défaire les troupes de Syagrius.

La peur paralysait les Parisiens qui, depuis les chemins de ronde, observaient avec effroi ces barbares blonds qui ripaillaient sous leurs murs, rôtissant bœufs et porcs dans de grands feux qu'alimentaient des paysans réduits en esclavage.

Quel serait le sort de Paris quand ces guerriers entreraient dans la cité ?

Tous, des plus riches aux plus humbles, de ceux qui possédaient encore des réserves de grain dans leur cave à ceux qui se repaissaient de poussière, avaient supplié Geneviève de les protéger, de les nourrir, de leur éviter la mort ou la servitude.

— Elle était calme, sereine dans sa tunique blanche et son voile mauve, me dit Parthénius.

Une nuit, il avait quitté la ville avec elle, couché à ses côtés dans la barque d'un naute qui, les rames enveloppées de chiffons, avait commencé à remonter la Seine afin de gagner, par le fleuve et ses affluents, les terres à blé des environs de Troyes et d'Arcis-sur-Aube.

À plusieurs reprises, ils avaient dû fuir les guerriers francs qui couraient le long des berges pour tenter de rejoindre la barque, car en différents lieux le cours du fleuve était barré par des arbres qu'ils avaient abattus.

On n'avait eu que le temps de repousser les troncs et de s'éloigner.

Geneviève avait pu rentrer à Paris quelques semaines plus tard avec une cargaison de grain ; elle avait été accueillie par des cris de joie et saluée comme une vierge sainte et salvatrice.

Alors elle avait pu dire qu'il fallait traiter avec le roi des Francs, fils de Childéric, qu'elle avait connu ; Clovis était digne de confiance à l'égal de son père. Et elle avait chargé Parthénius de négocier avec lui.

— En son nom, ajouta Parthénius, je demandai à Clovis qu'il libérât des captifs : soldats de l'armée de Syagrius ou Wisigoths pris lors des combats livrés par les Francs sur les bords de la Loire, le long de la frontière entre la Gaule du Nord et le royaume hérétique d'Alaric.

« J'observai Clovis pendant que je lui parlais. En vieillissant, il s'était affiné. Son visage, encadré par ses longs cheveux blonds et frisés, prolongé par une barbe soigneusement peignée, exprimait une assurance et une majesté qui m'impressionnèrent.

« Par tous ses traits et par son attitude, il était le roi.

« Il ne baissait jamais les yeux, qu'il avait grands et qu'il gardait un peu écarquillés, comme s'il avait voulu par son regard embrasser tout l'espace, s'emparer du monde entier.

« En même temps, alors que je me trouvais à moins d'un pas de lui et qu'entre nous ne se dressait aucun obstacle, que j'aurais pu bondir et le frapper avant même que les hommes de sa garde ne me saisissent, j'avais le sentiment qu'il était inaccessible, séparé des autres par une invisible barrière, au-dessus du commun des hommes. L'harmonie de ses traits, sa beauté naturelle accentuaient cette impression.

« Il resta un long moment silencieux après que j'eus terminé de lui présenter ma requête, puis il leva sa framée, ce sceptre, et me répondit qu'il acceptait, pour marquer l'admiration qu'il portait à Geneviève la courageuse, la fidèle à son Dieu, de libérer une partie des captifs que détenaient ses troupes.

« Peu après, le siège de Paris fut levé, les portes de la cité ouvertes. Les Francs pénétrèrent dans la ville sans se livrer au pillage ni à aucun acte de violence.

— Un grand roi, Clovis, répétai-je, me souvenant de ce récit déjà entendu, mais Parthénius me dévisagea, semblant hésiter à poursuivre.

— On ne peut régner sans conquérir et donc sans tuer ! s'exclama-t-il.

Puis, hochant la tête :

— Un souverain peut-il être l'homme de Dieu ? le disciple des Évangiles ?

Il se mit à arpenter la grotte, bras croisés.

Remi et Geneviève, auxquels il avait fait part de ses doutes, lui avaient répondu que l'Église devait se servir de la force et de l'ambition des rois, mais qu'elle devait aussi essayer de leur imposer ses commandements.

N'était-ce pas ce qu'avait fait Remi en écrivant à Clovis ? Et celui-ci ne se montrait-il pas respectueux des évêques, ne libérait-il pas à présent ses prisonniers ? Fallait-il préférer les autres souverains : Alaric le Wisigoth, Gondebaud le Burgonde, Théodoric l'Ostrogoth, ces hérétiques ariens qui refusaient de croire à la nature à la fois divine et humaine du Christ, qui adoraient Dieu comme les barbares font d'une idole ? Et cette foi mutilée leur permettait de tuer à l'instar des Huns ou des Vandales...

Parthénius écarta tout à coup les bras comme un prédicateur qu'emporte la passion de convaincre.

Je ne l'avais encore jamais vu aussi exalté, tremblant de colère, le visage empourpré, la fatigue et la vieillesse effacées par cette fougue qui lui faisait serrer les poings, répéter qu'il avait vu Clovis agir lui aussi comme un cruel barbare.

Le roi des Francs avait fait jeter au fond d'une cellule les petits souverains de Cambrai et de Tongres, ces rois Chararic et Ragnachaire qui gouvernaient des peuplades franques dont il convoitait les territoires.

Parthénius leva les deux bras.

— Un barbare, Clovis ! Il s'est emparé par ruse de Chararic et de son fils. Il leur reprochait de ne pas s'être engagés dans la bataille contre Syagrius, d'avoir attendu la fin des combats pour le rejoindre. Il les a fait tondre, les humiliant ainsi puisque la longue chevelure est l'apanage des rois, le signe de leur force. Puis, quand il a su que Chararic, dans sa prison, répétait à son fils : « Console-toi, on a coupé les feuilles d'un arbre, mais elles ne tarderont pas à repousser. Puisse périr avec la même rapidité celui qui a fait cela ! », il a ordonné qu'on leur tranche la gorge sur-le-champ, avant de s'emparer de leurs trésors et de leur royaume.

Parthénius brandit le poing.

— Est-ce ainsi qu'était censé agir un souverain dont Remi et Geneviève me disaient qu'il œuvrait pour la cause de l'Église ? Remi m'avait même assuré que Clovis s'approchait lentement du baptistère, qu'il songeait à la conversion, qu'elle le tentait, mais qu'en souverain prudent il en soupesait les avantages et les risques.

« Pas plus aujourd'hui qu'hier je ne devrais m'indigner. Les souverains agissent toujours ainsi : avec cruauté, ruse et habileté. Ce ne sont que des hommes que les évêques ont mission d'éclairer. Il me fallait plutôt songer aux bienfaits que l'Église retirerait des audaces de Clovis. Il venait de marier l'une de ses sœurs, Audoflède, à Théodoric le Grand, roi des Ostrogoths, souverain d'Italie, reconnu par l'empereur d'Orient. Lui, Clovis, seulement roi du peuple des Francs saliens, nouait ainsi alliance avec l'un des grands d'Occident. Et, sur une barque immobilisée au milieu d'une rivière, la Cure, affluent de l'Yonne, il avait rencontré Gondebaud, roi des Burgondes, qui l'avait traité en égal. Et il songeait à épouser une princesse burgonde afin de désarmer l'hostilité de ce peuple puissant...

« Tel était Clovis, me disait-on, capable de faire autour de lui l'unité de la Gaule et de favoriser ainsi les desseins de la foi, l'évangélisation des païens, la conversion des hérétiques.

Lorsque Parthénius se rassit, son visage ruisselait de sueur.

— Je n'ignorais rien de tout cela, murmura-t-il. Je ne pouvais riposter à Remi et à Geneviève. Je voulais servir mon Église et je savais qu'Alaric, Gondebaud, Théodoric, souverains hérétiques, égorgeaient leurs proches, craignant qu'ils ne devinssent leurs rivaux ! Au cours d'un banquet, Théodoric le Grand, auquel Clovis était désormais apparenté, avait tranché la tête d'Odoacre, qu'il venait de vaincre, puis avait exécuté tous les membres de la famille de son ennemi vaincu.

Parthénius baissa la tête. C'était à nouveau un vieillard voûté.

— Dès ce moment-là, j'ai voulu me retirer pour prier, fuir les hommes, ne plus parler qu'à Dieu. Mais ni Remi ni Geneviève ne l'ont accepté. Et j'ai dû continuer de m'enfoncer dans ce marécage sanglant.

Il parlait d'une voix plus sourde.

— J'ai entendu Clovis, quand on lui présenta, mains liées, le roi Ragnachaire qu'il venait de vaincre, lui lancer :

« — Pourquoi as-tu permis que notre sang soit humilié en te laissant enchaîner comme un esclave ? Mieux valait pour toi mourir !

— Et il lui a fendu la tête d'un coup de hache. Puis il s'est tourné vers le frère de Ragnachaire, Richaire, et lui a dit :

« — Si tu avais porté secours à ton frère, on ne l'aurait pas lié !

Et il a de nouveau levé sa hache, et le sang a jailli de la tête fracassée de Richaire !

Parthénius me regarda, mais me voyait-il ? Il se parlait à lui-même.

— Tel était Clovis : d'une cruauté implacable et d'une insatiable avidité. Il tuait pour s'emparer des trésors et des royaumes. Mais il était aussi habile et retors. Je l'ai entendu dire aux proches de Ragnachaire et de Richaire qui avaient trahi le roi et son frère, et qu'il avait payés en fausse monnaie de cuivre :

« — Celui qui livre volontairement son maître à la mort ne mérite pas meilleur or que celui-ci. Qu'il vous suffise qu'on vous laisse vivre et qu'on ne vous fasse pas expier votre trahison dans les tourments.

« J'ai lu l'effroi dans les yeux de ceux qui l'écoutaient. Alors Clovis, sans qu'aucun de ses traits ne bougeât, avait ajouté du même ton :

« — Malheur à moi qui reste maintenant comme un étranger parmi les étrangers et qui n'ai plus un seul parent pour venir à mon aide en cas d'adversité !

« Qui aurait pu croire, à l'entendre, à le voir, impassible, le visage émouvant à force de beauté, qu'il était l'organisateur de ces meurtres, qu'il avait lui-même frappé de sa hache ces souverains francs, ses proches dont le sang avait à peine séché sur le fer de sa hache ?

Parthénius se glissa dans le creux de la paroi qui lui tenait lieu de couchette.

— À vingt-cinq ans, Clovis était en effet devenu un grand roi, marmonna-t-il.

Puis, se tournant vers moi, il ajouta à pleine voix :

— Mais le monde des hommes est rongé par le mal, habité par le Diable ! Un grand roi ne peut être qu'un grand meurtrier.

Quatrième partie

12.

— Tu ne sais rien des femmes germaniques, dit Parthénius.

Nous étions assis côte à côte devant la grotte, le dos appuyé à la paroi de la falaise.

Devant nous s'étendait, au-delà de la plate-forme rocheuse, la campagne tourangelle figée sous les blanches traînées du givre.

Je me tournai vers Parthénius.

Il avait la tête levée vers le ciel d'un bleu transparent.

Son menton prononcé, les os saillants de ses pommettes et de son front donnaient à son profil la netteté d'une épure.

La maigreur de son visage m'apparut ce matin-là comme un signe de force et d'énergie, la preuve que cet homme avait mené une vie de combat, qu'il était dur comme l'os, qu'il ne pliait pas.

Je ne retrouvais plus le vieillard qui, la veille, m'avait paru désespérer du monde des hommes et douter même des choix de l'Église.

Je l'avais observé depuis son réveil.

Il avait longuement prié avec une détermination qui m'avait rassuré, soulignant chaque mot d'un mouvement de tête.

Puis, lorsque le soleil avait commencé à éclairer la grotte, il m'avait entraîné sur la plate-forme, inspirant l'air glacé avec avidité comme s'il cherchait à se purifier.

Il s'était enfin assis à gauche de l'entrée, m'invitant à m'installer près de lui.

— Tu t'étonnes que je veuille parler des femmes germaniques ? reprit-il. Avant, dans ma vie de mécréant, j'ai succombé au désir de la chair.

Il se signa.

Il s'était certes repenti. Depuis des lustres, il avait fait vœu de chasteté. Mais gardait encore souvenir, sans concupiscence, de ces femmes blondes et vigoureuses qu'il n'avait jamais eu à forcer parce qu'elles s'offraient avec de grands éclats de rire, une joie si spontanée qu'elles semblaient ne même pas pouvoir imaginer qu'elles péchaient. C'étaient elles qui, le plus souvent, l'avaient choisi, l'entraînant dans leur couche. Il s'en repentait, mais devait le confesser : barbare, impie comme elles, il avait été fier et heureux de leur choix.

Il se signa de nouveau.

— Souviens-toi de Basine qui quitta son roi thuringien pour se glisser dans le lit de Childéric et lui donner un fils : Clovis, célèbre par ses combats ! ajouta-t-il.

Il resta un long moment silencieux, et je ne savais trop s'il continuait de prier et d'implorer le pardon de Dieu pour ses péchés, ou s'il se complaisait dans le souvenir de ses années barbares.

Mais, poursuivit-il, celles de ces femmes qui avaient renoncé à l'impiété et s'étaient vouées à Dieu avaient gardé de leurs origines la vigueur, le goût de l'audace, le courage et la volonté d'agir. Devenues chrétiennes, elles n'en étaient pas moins restées des femmes germaniques.

Parthénius s'interrompit à nouveau, puis, posant la main sur mon genou — c'était le premier signe de familiarité qu'il me donnait —, il ajouta :

— Je t'ai souvent parlé de Geneviève, que j'ai servie du mieux que j'ai pu. Il faut aussi que je te parle, puisque tu veux tout connaître de cette histoire, de Clotilde et de sa mère, Carétène.

Parthénius croisa les doigts, faisant craquer ses phalanges, écrasant ses paumes l'une contre l'autre puis les frottant comme s'il avait voulu en arracher de la boue séchée, collée à sa peau.

— Carétène, on l'a retrouvée noyée, une pierre attachée au cou. L'eau du marécage dans lequel on l'avait jetée, mains liées derrière le dos, jambes entravées, avait déjà gonflé son corps et déformé ses traits. Les herbes qui couvrent la surface de cette étendue saumâtre s'agrippaient et se mêlaient à ses cheveux. Elle était méconnaissable.

« Mais, sous sa tunique, on avait retrouvé le crucifix qui ne la quittait jamais, car elle était chrétienne, et l'on disait partout que cette reine, mariée à Chilpéric, le roi burgonde de Lyon, avait essayé de ramener à la vraie foi son époux hérétique. Elle avait réussi à obtenir le droit de baptiser dans la foi catholique ses deux filles, Chrona et Clotilde. L'année de l'assassinat de leur mère, celles-ci étaient encore de jeunes enfants ; elles furent envoyées chez leur oncle Godegisel, roi burgonde de Genève...

Parthénius continuait de se frotter les mains, la tête penchée. Bien que je ne visse que son profil, je devinais l'expression méprisante et rageuse de son visage.

— Celui-là, Godegisel, avait survécu, mais deux autres de ses frères, Chilpéric, l'époux de Carétène, et Gondemar, leur aîné Gondebaud les avait égorgés de sa propre main avant de faire noyer Carétène.

Parthénius écarta ses mains l'une de l'autre.

— Telles sont les mœurs barbares, lâcha-t-il. Ils étaient quatre frères, tous rois burgondes et fils du roi Gondioc. Tu te rappelles qui était ce Gondebaud, l'aîné, le tueur : c'est celui que Clovis avait rencontré sur une barque ancrée au milieu du courant, sur la petite rivière nommée la Cure. C'était un homme trouble comme l'eau du marécage. Petit, noueux, il ressemblait à l'un de ces arbres où viennent se lover les serpents entre tronc et écorce, et l'on s'imagine parfois, à les voir, qu'il s'agit de racines tortueuses.

« Tel était le Burgonde Gondebaud, roi de Vienne. Je n'ai croisé son regard qu'une fois, alors que je me rendais auprès d'Avitus, un saint homme, évêque de cette ville, qui essayait de convertir l'hérétique arien aux mystères du Christ, Dieu et homme à la fois. Les yeux de Gondebaud étaient comme des éclats de métal gris et acérés. Ils m'ont transpercé et j'ai dû détourner la tête.

« C'est cet homme-là qui a égorgé ses deux frères, qui a attaché au cou de Carétène une pierre, ordonné qu'on lie les membres de cette malheureuse femme et qu'on la précipite dans l'eau des marais qui s'étendent sous le brouillard entre Saône et Rhône.

Parthénius a de nouveau croisé ses doigts.

— Pourquoi Gondebaud l'égorgeur a-t-il laissé vivre Chrona et Clotilde et permis qu'elles soient recueillies par Godegisel, le seul de ses frères qu'il eût épargné et qui régnait alors à Genève ? Qui peut le dire ?

Il se signa.

— Lorsque je lui avais fait le récit de ces meurtres, Geneviève s'était dite persuadée que Dieu avait voulu préserver ces deux enfants chrétiennes. Leur vie était inscrite dans Son dessein : l'une, Chrona, allait prendre le voile des vierges, créer à Genève l'abbaye de Saint-Victor, et l'autre, Clotilde...

Parthénius me dévisagea longuement comme pour s'assurer que je le suivais avec attention, puis il hocha la tête et, satisfait, reprit :

— Clotilde était de sang royal depuis les origines des peuples burgondes. On disait qu'au-delà même de son grand-père paternel Gondioc, ses ancêtres venaient des rives des mers nordiques, peut-être d'une famille souveraine des Wisigoths.

« Blonde, elle avait la peau d'une blancheur de lait, la beauté de ces soleils d'hiver qui font glisser leur lumière dorée sur les glaces immaculées.

« Chrétienne aussi fervente qu'une jeune fille qui se donne à Dieu, elle priait chaque jour. Elle se souvenait du sort de ses parents, Chilpéric et Carétène, et connaissait le nom de leur meurtrier, ce roi Gondebaud, son oncle, qui envoyait souvent à Genève ses espions pour vérifier que ses nièces Chrona et Clotilde ne songeaient pas à se venger de lui qui les avait rendues orphelines. En noyant leur mère, il avait voulu les dépouiller de toute prétention royale, car chez les Burgondes et les Germains, les femmes hébergent dans leur ventre l'origine de toute souveraineté. À Clotilde le ventre de Carétène, enflé par l'eau du marécage, ne pouvait plus donner droit à aucune couronne.

Parthénius se leva et se mit à arpenter la plate-forme, s'appuyant parfois aux rochers qui la fermaient, se tournant vers moi qui étais resté assis, me répétant d'une voix forte qu'aucune volonté ne pouvait empêcher le dessein de Dieu de se réaliser.

Un jour, reprit-il, des ambassadeurs de Clovis à Genève avaient aperçu Clotilde. Ils avaient été attirés par sa beauté, la noblesse de son attitude, la gravité de son expression, la lumière qui éclairait son regard. Ils s'étaient enquis d'elle. Elle était bien de famille royale, burgonde et nièce du roi Gondebaud, petite-fille du roi Gondioc, fille du roi Chilpéric. Orpheline.

Ils rencontrèrent Avitus. Dans son église de Vienne où il les reçut, l'évêque leur conta qu'elle était bien la fille de Carétène, la reine noyée, mais qu'elle avait été baptisée dans la foi catholique. Elle priait chaque jour. Et ce serait pour la vraie foi un don de Dieu que le mariage entre Clotilde et Clovis.

Avitus avait déjà écrit à l'évêque de Reims, Remi, pour lui suggérer cette union. Grâce à elle, Clovis entrerait dans les plus anciennes lignées royales, et le ventre de Clotilde porterait des fils qui ne pourraient qu'être rois.

Croisant les bras, Parthénius expliqua que les ambassadeurs avaient donc conseillé à Clovis de demander à Gondebaud sa nièce Clotilde pour qu'elle devînt reine des Francs saliens et qu'ainsi se trouvât scellée l'alliance des peuples franc et burgonde.

Parthénius secoua la tête et sourit.

— Gondebaud était écartelé entre des craintes contraires qui le tiraient, selon les heures, dans un sens ou dans l'autre. S'il acceptait ce mariage, il pouvait redouter que Clovis en soit renforcé et que, dressé contre les Burgondes par Clotilde, soutenu par les évêques, il ne devienne un rival dangereux. Mais, s'il refusait de donner Clotilde, n'était-ce pas pire ? La guerre assurée, puisque Gondebaud aurait paru rejeter l'alliance que, par ce mariage, Clovis lui proposait.

En revenant s'asseoir auprès de moi, Parthénius ajouta qu'Avitus avait lui-même sans doute conseillé à Gondebaud d'accepter cette union. Les monarques les plus habiles et les plus retors se perdent parfois dans le labyrinthe de leurs propres calculs et manœuvres... On prétend aussi qu'un envoyé de Clovis, déguisé en mendiant, se rendit à Genève, s'agenouilla près de Clotilde durant la messe et lui remit un anneau marqué du sceau de Clovis, promettant ainsi le mariage et assurant à la jeune femme qu'elle pourrait baptiser ses fils dans la foi qui était la sienne. Comme reine, elle recevrait l'appui de tous les chrétiens, de Geneviève et de Remi ; elle pourrait quitter le royaume burgonde, entourée de tous les prêtres catholiques qui lui étaient fidèles et que les ariens persécutaient. Son mariage serait ainsi un acte de foi.

— J'ai connu ce mendiant, ce messager de Clovis, ajouta Parthénius. Il m'a raconté comment Gondebaud, dans un mouvement de lassitude, accepta le mariage. Et donc admit que Clotilde quittât Genève et rejoignît son futur époux.

L'envoyé de Clovis avait ordonné à Clotilde de se mettre en route sans attendre. Il avait lui-même veillé au chargement des chariots, les remplissant de coffres, de tissus, de trésors.

Enfin le cortège des serviteurs et des prêtres s'était éloigné de Genève. Le messager avait fait presser la marche afin qu'on atteignît au plus vite la région de Troyes où Clovis et ses soldats attendaient la future épouse.

Le messager avait en effet appris que Gondebaud, dans un accès de colère et de dépit, s'était ravisé et, ayant décidé de refuser le mariage, allait s'élancer à la poursuite de Clotilde.

— Mais le cortège nuptial avait Dieu pour guide et nul n'aurait pu l'arrêter, murmura Parthénius en rentrant dans la grotte.

13.

— Quand j'ai vu pour la première fois Clotilde et Clovis côte à côte, commença Parthénius, je me suis souvenu d'une phrase de saint Paul que tu connais peut-être...

Il se tourna vers moi. Nous étions assis face à face dans la pénombre de la grotte. Il avait choisi de s'installer sur un tabouret et j'avais pris place sur sa couchette.

— Saint Paul écrit...

Il hésita, scruta ses paumes comme si elles contenaient les mots qu'il allait prononcer. Il hocha la tête et récita :

— « L'époux païen est sanctifié par sa femme fidèle à Dieu » : voilà ce que dit saint Paul, et ce à quoi j'ai pensé en cette journée de mars 492, à l'instant où Clovis s'est avancé, les deux mains ouvertes, vers Clotilde. C'était à Villery, un hameau proche de Troyes. Le cortège de Clotilde venait de s'y arrêter et la jeune princesse était assise dans l'un des chariots, sous un dais. Les servantes se pressaient autour d'elle, les prêtres qui l'avaient suivie psalmodiaient des cantiques, quand, tout à coup, Clovis est apparu.

Parthénius tendit les bras.

— Mains ouvertes, le roi marchait à pas lents avec pour seule arme son glaive, si lourd qu'il tirait sur son ceinturon. Sa garde d'antrustions, portant lance et francisque, avançait du même pas à ses côtés.

« D'un geste, Clovis les a arrêtés et a continué seul vers le chariot.

« Il portait un manteau constellé d'abeilles d'or, accroché à son épaule par une fibule d'argent. Ses cheveux étaient encore plus longs, plus blonds aussi, plus bouclés qu'à l'habitude. Sa barbe frisée masquait en partie ses trois colliers.

« C'était un barbare, un païen, mais la sérénité de son visage, la douceur de ses yeux qui tantôt se levaient sur Clotilde, tantôt s'abaissaient sur ses paumes ouvertes comme s'il avait porté une offrande, m'ont fait souvenir de la phrase de saint Paul.

« Clotilde, j'en ai été convaincu à ce moment-là, serait bien celle qui le conduirait au baptistère. Elle régnerait sur son cœur, elle gouvernerait son âme. Elle serait la chrétienne que la foi inspire, mais aussi la reine germanique qui agit, entraîne et commande. Et Clovis se laisserait guider. Lui dont on allait célébrer le mariage païen, je le savais déjà, se comporterait en époux chrétien, n'imposant à Clotilde aucune autre épouse comme c'était la coutume chez les barbares.

« Il suffisait de voir Clotilde, debout dans le chariot, ses cheveux blonds tombant sur sa tunique bleue, ses yeux rivés sur Clovis, pour comprendre que, chrétienne et germanique, elle n'était pas femme à accepter des rivales.

Parthénius avait gardé ses deux mains ouvertes et reprit :

— Nous nous sommes tous mis en marche vers Soissons. Clovis chevauchait à côté du chariot sans quitter Clotilde des yeux. À l'entrée de la ville, l'évêque Principius, frère de Remi, les a accueillis, et Clotilde, paraissant oublier jusqu'à la présence de son futur époux, s'est agenouillée devant lui.

« Elle était bien telle que je l'avais devinée, faisant ce qui lui semblait juste sans demander l'avis du roi ni rechercher son approbation. Et, immobile sur son cheval, le visage impassible, Clovis avait accepté, alors que tous les hommes de sa garde l'observaient et qu'on lisait sur leurs traits la surprise, voire, chez certains, dans la raideur de leur attitude, main crispée sur le manche de leur francisque, le mécontentement.

« Puis Clotilde s'est relevée et elle s'est avancée vers Clovis qui a sauté à bas de son cheval.

« Il avait l'agilité d'un homme d'à peine vingt-six ans.

« Ils se sont pris par la main et ont marché jusqu'au château d'albâtre.

Plus tard, Parthénius m'a décrit les festins, les danses, les chants autour des grands brasiers allumés par toute la ville.

La fête était celle d'un peuple barbare célébrant le mariage païen de son roi.

À l'aube, les serviteurs de Clovis sont entrés dans le château, portant sur des plateaux les cadeaux du matin à la vierge devenue épouse.

— J'ai vu les bijoux, bagues, colliers et bracelets, les pièces d'or et d'argent que le roi offrait à Clotilde. C'était le sacre païen de la reine des Francs.

Parthénius considéra ses paumes ouvertes et ajouta :

— Mais Dieu, cette nuit-là, avait conquis l'âme de Clovis.

Puis il se leva et se remit à marcher, d'abord en silence. Mais, brusquement, il s'arrêta, serra les poings qu'il éleva à la hauteur de son visage.

— Ceux que Dieu a choisis, Il les soumet à l'épreuve. Écoute ceci…

Il se rassit en face de moi.

— Un fils naquit de la première nuit. Clotilde l'appela Ingomir. Aussitôt, elle ne pensa plus qu'au baptême de cet enfant. Il fallait que ce fût une cérémonie inoubliable marquant l'entrée du descendant de Clovis le païen, de Clovis le barbare, dans la communauté des croyants en notre Dieu. C'est

Principius, l'évêque de Soissons, qui devait célébrer dans l'église Notre-Dame l'immersion du nouveau-né. On avait couvert les dalles grises de la nef de tapis aux couleurs vives. Des voiles étaient tendus d'un mur à l'autre et l'on porta Ingomir, vêtu de blanc, jusqu'au baptistère. Il fut chrétien...

Parthénius tendit les bras vers moi. J'eus l'impression que ses mains tremblaient.

— Ingomir fut chrétien, répéta-t-il, et Ingomir mourut, encore vêtu de blanc !

Il se signa, murmurant que Dieu avait choisi l'épreuve la plus cruelle, celle qui fend le cœur d'une mère auquel on arrache son premier-né.

— Clotilde seule avait choisi de baptiser l'enfant, comme une femme fière, sûre de sa foi, et voici ce qu'elle devait s'entendre dire par Clovis :

« — C'est votre baptême qui est cause de la mort d'Ingomir. Si je l'avais consacré aux dieux de mon peuple, il serait encore vivant. Votre Dieu aime la mort ! Il me prive d'un fils.

Parthénius se remit à aller et venir, tête baissée.

— Imagine l'amertume du roi, ses regrets, sa défiance envers ce Dieu impitoyable. La mort d'Ingomir, c'était comme un sacrifice que Dieu, plus barbare que toutes les idoles, aurait exigé. Mais, face à la colère et aux reproches, Clotilde fit front.

Parthénius, qui avait marché jusqu'à l'entrée de la grotte, souleva la pièce d'étoffe qui la fermait et l'air glacé de la nuit coucha la flamme de la chandelle.

Il reprit en me tournant le dos :

— Clotilde a dit à Clovis :

« — Je rends grâces au Dieu tout-puissant et créateur de toutes choses. Il ne m'a pas trouvée indigne d'être la mère d'un enfant qu'il accueille dans Son céleste royaume. La douleur de sa perte ne trouble pas mon âme. Ingomir a quitté ce monde revêtu de la robe blanche de l'innocence. Ingomir se nourrira de la vue de Dieu pendant toute l'éternité.

Parthénius revint vers moi et conclut :

— Telle était Clotilde : chrétienne et souveraine.

Il ferma les yeux, puis, après un silence, ajouta que Dieu avait encore une fois voulu éprouver la foi de Clotilde. Son second fils, Clodomir, qu'elle avait fait baptiser aussitôt, fut les jours suivants, frappé à son tour par la maladie.

Clovis s'emporta :

« — Votre Christ le fait mourir comme il a déjà fait mourir Ingomir ! Rien d'autre ne peut survenir, puisqu'il a été baptisé et que votre baptême ouvre les portes de la mort. Il faut donc qu'il meure, lui aussi !

Clotilde se mit à prier, agenouillée aux côtés de l'évêque Principius. À Reims, Remi priait. À Paris, Geneviève aussi priait.

— Et Dieu a accordé la guérison, finit Parthénius en écartant ses paumes ouvertes. Après Clodomir, d'autres fils sont nés : Childebert, Clotaire ; puis une fille, Clotilde.

Il se signa.

— Dieu récompense ceux qui croient et espèrent. La reine Clotilde était de ceux-là. Comment, près d'elle, Clovis aurait-il pu résister à la foi ?

14.

— Ce fut pourtant long, reprit Parthénius, plus long que je n'aurais cru.

Il hocha la tête, puis, les bras croisés et serrés contre la poitrine, les mains accrochées à ses épaules comme si le froid l'avait tout à coup saisi et qu'il voulût s'en défendre, se repliant sur lui-même, il marmonna encore quelques mots que je ne parvins pas à comprendre.

Je l'interrogeai alors :

— Long ? Plus long ? demandai-je.

Parthénius tressaillit. Il leva la tête, me regarda avec irritation, le visage hostile, comme si j'avais surpris une pensée qu'il aurait préféré garder pour lui.

Je répétai ma question.

Qu'est-ce qui était plus long qu'il n'aurait cru ? Clovis avait-il trop tardé à se convertir ? Sa résistance à la foi de Clotilde avait-elle duré plus que Parthénius n'aurait imaginé ?

Il émit un grognement de désapprobation comme s'il avait été forcé de quitter sa tanière, de sortir de sa réserve.

Il décroisa les bras, pencha la tête de côté, puis il dressa son index droit et secoua la main.

— Long, oui..., soupira-t-il. Clovis est allé au baptême à pas si lents, avec tant de prudence, avec de telles hésitations que j'ai souvent pensé qu'il resterait un roi païen. Que Clotilde ne réussirait pas à le faire entrer en tant que croyant dans une église, qu'il demeurerait sur le seuil, curieux, peut-être, et même bienveillant, mais fidèle aux dieux de son peuple. Que Geneviève, Remi et tant d'autres évêques s'étaient trompés en tablant sur sa conversion. Que seuls ses enfants, par la volonté de Clotilde et la grâce de Dieu, seraient chrétiens.

Parthénius secoua la tête.

— Clovis était un homme qui pesait chaque chose et veillait à ne pas se laisser entraîner par l'émotion. Je l'avais vu recevoir Geneviève avec respect, avec presque de l'humilité, s'inclinant devant elle, ce à quoi il ne se contraignait avec personne, écoutant le récit qu'elle faisait du pèlerinage qu'elle venait d'accomplir à Tours afin de s'agenouiller devant la tombe de saint Martin. Elle avait parlé de ce dernier avec ferveur, exposé que chaque jour, depuis sa mort, il accomplissait de nouveaux miracles, que des milliers de pèlerins vénéraient ses reliques, venaient prier devant la basilique que l'évêque Perpetuus avait élevée en son souvenir. Celui qui voulait réaliser de grands desseins, avait insisté Geneviève, devait se rendre sur la tombe de saint Martin, l'apôtre des Gaules. Elle avait même ajouté qu'on ne pouvait laisser cette ville ni sa basilique aux mains des Wisigoths. Or toute cette région de Loire faisait encore partie du royaume d'Alaric.

« — Peux-tu accepter cela ? avait-elle demandé à Clovis. Peux-tu ne pas te rendre à Tours pour recevoir la bénédiction de Martin ?

« Clovis avait écouté, mais sans répondre, sans même laisser paraître le moindre sentiment. Il était resté les yeux fixes, figé comme une statue. Et il avait gardé la même attitude quand Geneviève l'avait convié à se rendre à Paris où tous les habitants l'attendaient pour l'honorer. Elle voulait aussi qu'il visitât la basilique qu'elle avait fait élever sur la rive droite de la Seine en souvenir de saint Denis, martyr. C'était un bâtiment rectangulaire de vingt et un pas sur huit où se rassemblaient déjà de nombreux pèlerins, et où, par la grâce de saint Denis, s'accomplissaient de nombreux miracles.

« — Paris est ta ville, avait-elle dit sans que Clovis cillât.

Parthénius ferma les yeux. Son visage s'était creusé de rides, exprimant la déception.

— Clovis avait manifesté à Geneviève beaucoup d'égards, mais s'était dérobé. Et il avait fait de même avec Remi, puis avec l'évêque de Soissons, Principius.

Il se contentait d'écouter Clotilde, de la laisser agir à sa guise, assister à toutes les messes, baptiser ses enfants, leur enseigner ce qu'était la juste foi, la nature à la fois humaine et divine du Christ, mais lui n'entendait pas renoncer à ses dieux païens. Il était…

Parthénius s'était animé, parlant d'une voix aux accents plus vifs, comme s'il retrouvait l'intensité de ses émotions et déceptions passées.

— Clovis était comme un roi qui assiste en spectateur aux combats de deux armées livrant bataille sous les murs de sa cité. Il les observe du haut des remparts. Qui va vaincre ? À chaque instant, la situation change, et le roi hésite. Doit-il rester enfermé dans sa ville avec ses dieux païens au risque d'être attaqué bientôt par l'armée victorieuse, ou bien doit-il rallier l'armée catholique avec ses évêques, son épouse Clotilde, Geneviève qui gouverne Paris ? Mais cette armée, comment être sûr qu'elle va l'emporter ? Sa religion, celle de ce Christ crucifié, n'est-elle pas une croyance de vaincus, d'anciens esclaves ? Ne faut-il pas se ranger plutôt derrière les bannières de l'autre armée, celle des fidèles d'Arius pour qui le Christ n'est qu'un simple mortel, mais qui célèbrent Dieu le Père, aussi puissant que Jupiter ?

Parthénius esquissa une moue dubitative.

— Juge du dilemme : son épouse et reine, Clotilde, est catholique et il connaît l'influence et le pouvoir des évêques, mais les plus puissants des souverains d'Occident — Alaric le Wisigoth, Gondebaud le

Burgonde, l'Ostrogoth Théodoric le Grand —, tous ceux-là, que protège l'empereur d'Orient, sont ariens. Leurs prêtres viennent jusqu'à Soissons, entrent dans le château d'albâtre, convertissent à leur religion hérétique Lantéchilde, l'une des sœurs de Clovis, et une autre, Audoflède, arienne elle aussi, est l'épouse de Théodoric le Grand. Cette hérésie est donc la religion des peuples goths et germains.

Parthénius leva les deux bras.

— Et Clovis devait aussi compter avec son peuple, ses antrustions qui célébraient les dieux païens et qui, peut-être, n'auraient pas approuvé leur roi s'il s'était converti…

« Clovis est donc resté longtemps à suivre la bataille du haut des murailles de son royaume, donnant des gages aux uns et aux autres : aux ariens, ses sœurs ! à Clotilde, ses enfants !

D'un geste, Parthénius m'avait plusieurs fois empêché d'intervenir.

J'aurais voulu lui remontrer que Clovis, tel qu'il me le décrivait, était sans doute un stratège, mais n'agissait au fond qu'au mieux de ses ambitions. N'empêche : comment un tel homme, au pouvoir assurément utile aux desseins de l'Église, pouvait-il devenir un vrai chrétien ?

Parthénius avait dû deviner mon objection car, avant même que j'eusse pu l'exprimer, il s'employa à y répondre :

— Clovis n'était pas seulement un souverain habile et calculateur. S'il n'avait été que cela, il aurait pu épouser d'autres femmes, princesses des royaumes voisins, nouant ainsi avec ceux-ci des liens politiques utiles. Il les aurait imposées, fût-ce par la violence, à Clotilde. À son tour il aurait pu, comme un païen, garder en vie ses enfants et attacher une pierre au cou de Clotilde pour la noyer si elle s'était opposée à ce qu'il conclût d'autres alliances matrimoniales. Or il lui est resté fidèle comme un époux chrétien.

Parthénius prit un ton grave, presque solennel.

— Clovis, tout roi célèbre par ses combats qu'il fût, n'avait dans sa poitrine qu'un cœur d'homme. Or seul le cœur de Jésus est pur. Dans celui de Clovis se mêlaient, sans qu'on pût les séparer, la générosité et l'égoïsme, la prudence et le courage, le calcul et la foi.

Parthénius baissa la tête.

— Ton cœur et le mien valent-ils mieux ?

Cinquième partie

15.

J'avais été surpris, ce matin-là, par la fébrilité de Parthénius.

Il n'avait prié que quelques instants, puis était sorti sur la plate-forme, pour rentrer presque aussitôt dans la grotte. Il m'avait longuement regardé, hésitant, m'avait-il semblé, à me parler. Mais, alors que j'allais l'interroger, il s'était éloigné, était revenu, puis reparti, me lançant depuis l'intérieur de la grotte qu'il avait décidé de se rendre à la bibliothèque du monastère, située dans le bâtiment principal au pied de la falaise de Marmoutier.

Je l'y avais accompagné.

Une fois encore, il avait eu de la peine à descendre les marches de l'escalier, rendues glissantes par la pluie qui était tombée durant la plus grande partie de la nuit.

Je l'avais retenu par l'épaule et par sa tunique alors qu'il trébuchait. Et je ne fus rassuré que lorsque nous fûmes entrés dans cette vaste salle éclairée par des cierges.

Penchés sur des pupitres, de jeunes moines recopiaient des manuscrits.

Parthénius les ignora et se dirigea vers une longue table sur laquelle étaient entassés plusieurs ouvrages. Il entreprit de les feuilleter tout en s'en tenant éloigné, les yeux plissés. Il en parcourut ainsi rapidement plusieurs pour les repousser avec dédain, en saisir d'autres qu'il rejetait bientôt.

— J'ai tant écrit, tant lu..., marmonna-t-il. Mais je retrouve bien peu de ce que j'ai vu, vécu, compris.

Il me prit par le bras et son geste me surprit. Il m'entraîna hors de la pièce sans que les copistes eussent levé la tête.

Il souhaitait, me dit-il, réintégrer sa cellule.

— Ma grotte obscure est plus éclairée que cette bibliothèque où brûlent tant de cierges !

Il gravit promptement les premières marches, puis il s'essouffla et s'appuya de la main à mon épaule.

Nous fîmes halte sur une sorte de palier aménagé à mi-hauteur dans un renfoncement de la falaise.

Adossé à la paroi, Parthénius m'expliqua que, chaque fois qu'il consultait ces manuscrits, il était déçu. La connaissance des faits passés et des hommes d'autrefois se tarissait au fur et à mesure que le temps se creusait, ensevelissant les souvenirs.

Nous reprîmes notre ascension. Comme nous entrions dans la grotte, Parthénius murmura :

— Le temps est un abîme où tout disparaît.

Il se laissa tomber sur le tabouret.

— Que sais-tu des Alamans ? me demanda-t-il. Combien d'entre les hommes se remémorent encore ces barbares, presque des géants ? Chaque année, ils passaient le Rhin pour piller, dévaster, massacrer, violer. On les tuait par milliers, on croyait avoir exterminé leur engeance, mais ils surgissaient de nouveau quelques mois plus tard, plus nombreux encore. Ils remontaient le cours du Rhin, attaquaient les Burgondes, les Francs ripuaires, envahissaient Cologne, Augsbourg, Trèves, Strasbourg, Colmar, Metz… Rien ne semblait pouvoir mettre fin à leurs assauts, comme si leurs essaims se reconstituaient sans cesse, fondant sur la Gaule, franchissant les Alpes, assiégeant Milan.

Parthénius s'interrompit. Il avait parlé si vite et sur un ton si exalté que le souffle lui manquait.

— As-tu lu Ammianus Marcellinus ? reprit-il au bout de quelques instants. Ce sont ses livres que je voulais consulter ce matin avant de te parler de Clovis, des Alamans, avant de te raconter leur bataille, le rôle qu'elle joua dans le destin du roi des Francs et dans celui de la Gaule. Mais nos copistes ont négligé l'œuvre d'Ammianus, seule à si bien décrire le peuple des Alamans. Et si je n'avais pas bonne mémoire, je ne pourrais évoquer pour toi leur roi Chnodomar, un géant. Il avançait au milieu de deux cents guerriers, eux aussi d'une stature gigantesque. Cette cohorte barbare ouvrait dans les rangs des Francs une vallée sanglante. Ils hurlaient, frappaient, ne quittant pas des yeux leur souverain, juché sur un cheval immense. Chnodomar avait la tête couronnée d'un panache flamboyant. Soudés à lui, ses guerriers devaient le suivre jusqu'à la victoire — ou la mort. Voilà le peuple que Clovis affronta en 496.

Parthénius reprit longuement sa respiration.

— Clovis connaissait les Alamans, leur courage et leur cruauté. Ces guerriers se ruaient sur leurs ennemis comme s'ils n'avaient craint ni les blessures ni le trépas. Cette année-là, après avoir une nouvelle fois franchi le Rhin, ils avaient dévalé dans le territoire des Francs ripuaires en une vague grondante, et le roi de ces Francs, Sigebert, avait décidé de les arrêter sous les murailles de l'ancienne forteresse romaine de Tulpiacum, notre Tolbiac, à une journée de marche de Cologne.

« La bataille fut longtemps indécise, les prés bientôt couverts de morts, les fossés ruisselants de sang. Sigebert reçut un coup de hache au genou, mais, la jambe brisée, il continua de combattre, devenant pour toujours « Sigebert le Boiteux ».

« Les Alamans finirent par refluer mais Sigebert envoya des messagers à Clovis pour réclamer l'aide du peuple frère des Francs saliens.

Levé, Parthénius se mit à parler plus bas.

— Jamais je n'ai vu Clovis prendre une décision à la hâte, ou sous l'effet de la colère ou de l'émotion. Il reçut les messagers de Sigebert le Boiteux dans son château d'albâtre. En l'observant, en écoutant les questions qu'il leur posait, j'eus l'impression qu'il était pareil à ces orfèvres qui lorgnent avec minutie les bijoux qu'on leur présente.

« Clovis pesait aussi chaque mot avant de le prononcer. Il tournait et retournait les conséquences de sa décision avant de la prendre, comme s'il s'agissait d'une pierre précieuse dont il convient d'examiner attentivement toutes les facettes.

« Il a renvoyé les messagers après les avoir longuement entendus, puis il a réuni ses plus proches conseillers, mais, à ce que j'ai appris, il ne s'est pas exprimé devant eux, les laissant donner leur avis.

« Fallait-il répondre à l'appel de Sigebert et de son peuple de Francs ripuaires ? Fallait-il affronter les Alamans dont chacun connaissait la force ?

« Les conseillers se divisèrent et quittèrent le palais sans connaître la décision de Clovis.

« C'est seulement dans la nuit que le roi convoqua le chef de sa garde et lui ordonna de rassembler l'armée.

Parthénius éleva la voix et, les yeux clos, parut transporté loin de cette grotte, dans les temps reculés qu'il avait vécus.

— Le lendemain, Clovis et son armée partirent pour Tolbiac combattre les Alamans.

16.

— Clovis avait trente ans quand il décida de combattre les Alamans, poursuivit Parthénius. C'était la quinzième année de son règne. Il émanait de lui une telle impression de force que lorsque je le vis, à Soissons, s'avancer vers son armée, devant le château d'albâtre, dans l'aube grise, j'eus le sentiment qu'il était invincible.

« Ses longs cheveux blonds jaillissaient de son casque fait de lamelles d'or et d'argent. Il portait une cuirasse dont les rivets brillaient comme autant de pierres précieuses. Il tenait tendues les rênes de son cheval blanc qui piaffait, hennissait, tentait de faire des écarts, puis, dompté, marcha au pas devant le premier rang des guerriers.

« Lorsque le roi s'est arrêté, faisant face à ses troupes, et qu'il a levé sa francisque, les soldats lui ont répondu en hurlant et en imitant son geste.

« C'est alors que j'ai aperçu, se dirigeant vers Clovis, Clotilde, suivie de ses enfants. La brise de l'aube faisait voleter autour d'elle ses voiles bleus et blancs. Elle marchait avec tant de grâce et de légèreté qu'on eût dit qu'elle était soulevée au-dessus du sol, ne faisant que l'effleurer.

« Clovis s'est tourné vers elle qui s'est signée, puis elle a tendu la main comme pour bénir le roi. Et, à cet instant, j'ai pensé...

Parthénius s'interrompit pour me prendre les poignets, les serrer.

— Ne crois pas, murmura-t-il, que j'imagine aujourd'hui mes pensées d'alors dans la mesure où je sais ce qu'il est advenu ! Non, ce jour où Clovis et son armée ont quitté Soissons pour la vallée du Rhin et la forteresse de Tolbiac, j'ai eu la vision que le destin allait basculer.

« Clovis serait vainqueur, j'en ai eu l'intime certitude en voyant la main de Clotilde se lever et saluer son royal époux. Il n'y avait aucune crainte dans son geste, mais, au contraire, de la sérénité et de la joie.

« J'ai compris que, tout au long de la nuit, Clotilde avait dû prier auprès de Clovis qui hésitait sans doute encore, soupesant les risques et les avantages de cette guerre qu'il envisageait d'entreprendre contre les Alamans.

« Mais Clotilde, elle, savait. C'est pour cela qu'elle voyait sans inquiétude Clovis partir pour la bataille.

« Devant son armée, le roi s'est penché sur l'encolure de son cheval. Il a saisi la main de Clotilde et l'a baisée. Enfin, se redressant, il a lancé un ordre guttural et l'armée s'est ébranlée.

« Clotilde s'est agenouillée, a joint les mains, puis la poussière soulevée par les guerriers en marche l'a enveloppée, la dérobant à mes yeux.

Parthénius secoua la tête.

— Mais elle était là, et, pour moi, elle était la preuve que Dieu accompagnerait Clovis dans cette guerre.

Parthénius a continué à parler toute la nuit.

Je n'ai jamais su s'il avait lui-même assisté à la bataille de Tolbiac ou s'il m'en faisait le récit d'après les témoignages qu'il avait recueillis et consignés dans cette *Histoire des Francs* qu'il avait écrite et dont le manuscrit s'était perdu.

Il parlait comme s'il avait lu un texte, sans marquer la moindre hésitation, et je ne pouvais détacher mes yeux de son visage émacié, de son regard fixe qui semblait voir, au-delà des parois de la grotte, les armées en train de s'affronter.

Les guerriers avaient d'abord lancé leurs javelots en courant vers la ligne adverse ; les premiers hommes étaient tombés dans le fracas des pointes de métal acérées frappant les boucliers. En arrière de ces guerriers, les rois des deux camps se défiaient, hache ou glaive levé.

— Clovis s'était approché plusieurs fois du roi alaman, frappant à grands coups pour se frayer passage jusqu'à lui. Mais la garde personnelle du souverain ennemi se reconstituait toujours, offrant ses poitrines pour protéger celle de son chef. Clovis avait dû reculer sous la pression de ces guerriers qui semblaient hors d'atteinte de la mort. Tout au long du front, de même, les Francs refluaient tant la rage et l'intrépidité des Alamans étaient grandes. En plusieurs points, leur résistance flanchait avant de cesser, beaucoup s'écroulaient, le corps percé par les javelots, les membres tranchés par les glaives. Les cris de victoire, de véritables rugissements, commençaient à s'élever des rangs alamans.

« On dit que c'est à cet instant que Clovis a levé la tête vers le ciel, et certains de ses guerriers, qui se tenaient proches de lui, ont distinctement entendu sa voix, ce pacte qu'il proposait à Jésus-Christ, cette alliance qu'il offrait à Dieu, cet échange qu'il s'engageait à conclure avec lui, ce serment qu'il faisait :

— *Écoute-moi, Toi qui es, selon Clotilde, ma reine, Jésus-Christ, fils du Dieu vivant ! Toi qui peux accorder la victoire à ceux qui croient et espèrent en Toi ! Et Tu sais que Clotilde est la plus fidèle de Tes croyantes.*

Écoute-moi, Jésus-Christ !

J'ai, depuis le début de cette bataille, invoqué mes dieux pour qu'ils aident mes guerriers et soutiennent mes armes. Mais je regarde autour de moi, je vois les Alamans qui tuent et avancent, et je ne crois plus aux pouvoirs de mes dieux puisqu'ils ne peuvent apporter leur secours à ceux qui leur sont dévoués.

Soutiens-moi, Toi, fils du Dieu vivant !

Je Te demande, comme font Tes fidèles, la gloire de Ton assistance.

Secours-moi dans ma détresse !

Si Tu m'accordes la victoire, je T'en fais serment, je m'engage à croire en Toi et à solliciter de Tes évêques le baptême pour devenir l'un de Tes fidèles !

« À peine Clovis a-t-il prononcé ces mots, souscrit cet engagement, que la bataille, comme si un vent chassait la proche défaite des Francs, change de visage.

« Les guerriers de Clovis lancent leurs francisques, se précipitent et abattent leurs glaives sur des Alamans qui se croyaient déjà victorieux, qu'ils surprennent et qui reculent.

« Les Francs hurlent quand ils voient chanceler, frappé en pleine poitrine par l'une des francisques, le souverain alaman. Celui-ci tombe de cheval. Et la monture s'enfuit, entraînant derrière elle la plupart des guerriers tout à coup désemparés, débandés, persuadés que leurs dieux viennent de les abandonner.

« Les Alamans s'agenouillent, attendent le châtiment des vainqueurs. Ils offrent leur vie aux haches et aux glaives des Francs.

« Mais voici que Clovis lève le bras, arrête le mouvement des armes prêtes à s'abattre sur les nuques et les gorges.

« Il dit qu'il accorde la vie sauve aux Alamans, que les vaincus peuvent quitter sans crainte le champ de bataille. Les Alamans défaits se précipitent, s'agenouillent, remercient le roi des Francs pour sa clémence...

Parthénius s'est enfin interrompu, pressant ses deux mains sur sa poitrine à hauteur du cœur, comme s'il voulait contenir son émotion ou quelque douleur soudaine.

— Ce jour-là, à Tolbiac, Clovis a changé le sort de la Gaule, dit-il d'une voix voilée par la fatigue.

« Je t'ai dit qu'il était pareil à un orfèvre, mais aussi à un changeur de monnaie qui compare les pièces qu'on lui propose, les soupèse avant de troquer l'une contre l'autre. C'était cela qu'il avait fait en s'adressant à Dieu. Il avait conclu avec Lui un marché : à moi la victoire, à Toi mon baptême !

Pris d'une quinte de toux, Parthénius se reprit : il se montrait injuste en réduisant à une vulgaire transaction le serment de Clovis et son engagement.

À l'instant du péril, le roi avait dû se souvenir des prières de Clotilde, des propos que lui avaient tenus aussi bien les évêques Remi et Principius que Geneviève.

Il s'était adressé à Jésus-Christ, alors que la bataille lui semblait perdue, pour se sauver, certes, peut-être à l'instar d'un marchand païen, mais il n'avait pas choisi au hasard Celui avec qui traiter. C'était Jésus-Christ, à la fois Dieu et homme, et non le Dieu idole des hérétiques.

Parthénius se glissa dans sa couchette et me tourna le dos, le front appuyé à la paroi rocheuse.

— Et puis, ajouta-t-il encore, si Clovis était habile, Dieu n'est jamais dupe. Peut-être le roi franc n'avait-il cru s'engager qu'à un simple geste : le baptême. Mais Dieu ne se contente pas des apparences. Il veut les âmes !

17.

— Dès que j'ai revu Clovis, j'ai su que la bataille de Tolbiac avait changé du tout au tout le roi des Francs, dit Parthénius.

Nous étions assis dans la bibliothèque du monastère de Marmoutier, de part et d'autre de la grande table sur laquelle s'entassaient les manuscrits reliés en gros volumes que le vieillard feuilletait.

Autour de nous, les copistes, indifférents à notre présence, continuaient leurs travaux de calligraphie, debout derrière leurs pupitres.

De temps à autre, Parthénius les regardait, puis, les bras allongés sur l'un des volumes, le corps penché vers moi, reprenait son récit.

Sur ordre de Remi, il avait gagné Toul dans les jours qui avaient suivi l'annonce de la victoire de Clovis sur les Alamans.

L'évêque de Reims avait en effet appris que l'armée franque rentrerait en Gaule par la voie romaine reliant Trèves à Reims, et qu'elle ferait halte à Toul.

Clotilde s'était elle aussi mise en route afin de rencontrer son époux à Attigny où se trouvait une villa royale.

Par un messager de Clovis, la reine avait appris à Soissons que Dieu avait décidé du sort de la bataille et que le roi s'était engagé à se faire baptiser dans la religion catholique. Clotilde en avait éprouvé une immense joie qu'elle avait manifestée en s'agenouillant dans la salle du château, en priant à haute voix, en rendant grâces à Dieu. Puis elle s'était longuement recueillie devant l'autel de la cathédrale de Soissons en compagnie de l'évêque Principius. Et elle avait quitté la ville, entourée par des moines qui avaient entonné des cantiques.

— Clovis était devenu autre, répéta Parthénius. Quand je l'ai vu entrer dans Toul à la tête de son armée, j'ai d'abord pensé qu'il avait vieilli. Il avait le même port altier, rayonnait de la même force maîtrisée, et pourtant oui, il était autre.

« Était-il marqué par la longue incertitude du combat, par cette défaite qui l'avait frôlé comme un rapace s'apprête à fondre sur le corps vaincu ?

« Je l'ai cru.

« Puis, en l'observant plus attentivement, j'ai conclu qu'il avait non pas perdu sa jeunesse, mais acquis de la gravité.

« Son regard était voilé, ses gestes plus lents.

« Il descendit de cheval dans un mouvement toujours aussi harmonieux, mais plus majestueux, comme s'il était devenu économe de lui-même, désormais plus attentif qu'autrefois à chacune de ses attitudes.

Parthénius se redressa et se remit à feuilleter le manuscrit sur lequel il s'était appuyé, presque couché sur les larges feuilles de parchemin.

Il se tourna comme s'il avait craint que les copistes ne l'épient. Mais tous étaient absorbés dans leur travail.

— Je me suis longtemps interrogé. Qu'est-ce qui avait ainsi changé Clovis ? La crainte de la défaite, l'euphorie de la victoire ? Ou bien l'aide de Dieu, le marché passé avec le Seigneur qui lui avait permis de triompher des Alamans ?

Parthénius hocha la tête, puis fit lentement glisser la paume de sa main droite sur le parchemin, comme s'il le caressait.

— Un homme est comme un large fleuve, murmura-t-il. Qui peut savoir l'origine de l'eau qui coule entre ses berges alors que, depuis sa source, il reçoit, venus de régions diverses, tant d'affluents ? Qui peut savoir ? Toutes les eaux se mêlent pour donner le fleuve.

Il s'interrompit et je devinai, au mouvement de ses lèvres et à la fixité de son regard, qu'il lisait le texte du parchemin, suivant les lignes du bout de son doigt.

Il tourna la page, puis revint à la précédente.

— On n'est plus le même quand on est un roi victorieux auquel les plus puissants des souverains d'Occident s'adressent avec déférence, dit-il en poussant le manuscrit vers moi.

Il me montra le parchemin et, d'une voix impérieuse, répéta :

— Lis, lis si tu veux comprendre ! Prends copie de cette lettre, elle te servira peut-être davantage que tout ce que tu pourras apprendre par ailleurs.

Il se leva et fit le tour de la table pour venir s'asseoir près de moi comme s'il ne pouvait détacher les yeux de cette écriture soignée, à hauts jambages.

— Vois ce qu'écrit, à celui qui est devenu le vainqueur des Alamans et le protégé des évêques catholiques de Gaule, Théodoric le Grand, roi des Ostrogoths, reconnu par l'empereur d'Orient, souverain d'Italie, époux d'Audoflède, la sœur de Clovis.

Il posa l'index sur la première ligne.

— Lis, lis ! glapit-il d'une voix aiguë.

J'obtempérai et lus en haussant un peu la voix, emporté par la cadence de la phrase, la solennité des propos :

— Nous nous réjouissons de la parenté glorieuse qui nous rattache à vous, à votre courage. Vous avez d'une manière heureuse éveillé à de nouveaux combats le peuple franc, depuis longtemps plongé dans le repos.

D'une main victorieuse vous avez soumis les Alamans, abattus par la mort de leurs plus vaillants guerriers.

Mais le châtiment mérité par les chefs alamans ne doit pas frapper tout leur peuple.

Modérez les coups que vous portez aux restes d'une nation écrasée.

Soyez clément pour des hommes qui se cachent, épouvantés, derrière les frontières de notre royaume.

Vous avez remporté un triomphe mémorable en inspirant au farouche Alaman une terreur telle qu'il a été réduit à vous demander humblement la vie sauve.

Qu'il vous suffise d'avoir vu leur roi succomber avec l'orgueil de sa race, et d'avoir vu en partie exterminée, en partie asservie cette innombrable nation.

Croyez-en ma vieille expérience en ces matières. Les guerres qui ont eu pour moi les résultats les plus heureux sont celles où j'ai mis de la modération dans mon but.

Celui-là est sûr de vaincre toujours qui sait être mesuré en tout, et la prospérité sourit de préférence à ceux qui ne déploient pas une rigueur et une dureté excessives...

Je relevai la tête et me tournai vers Parthénius qui, penché à mes côtés, avait relu par-dessus mon épaule la lettre de Théodoric le Grand.

— Ce sont des louanges, remarquai-je, assorties de conseils, mais aussi de menaces…

Je soulignai du doigt l'une des dernières lignes.

Théodoric concluait sa lettre en exhortant Clovis à suivre ses recommandations :

De la sorte, vous n'aurez rien à craindre des pays qui nous appartiennent…

D'un geste vif, Parthénius attira le manuscrit vers lui et s'exclama :

— Quel roi ne menace pas l'autre ? Ceux qui détiennent le pouvoir sont toujours des rivaux. Mais, ce qui compte, c'est que Théodoric le Grand écrive au roi des Francs saliens, qu'il le reconnaisse comme son égal, le prie d'être mesuré, lui dise…

Parthénius se remit à déchiffrer :

— *Votre prospérité est notre gloire et chaque fois que nous recevons une bonne nouvelle de vous, nous considérons que c'est un profit pour tout le royaume d'Italie.*

Il tourna la page de parchemin.

— Écoute encore ce que Théodoric ajoute :

« *Nous vous envoyons en même temps que cette lettre un joueur de cithare maître en son art. Il vous charmera en chantant la gloire de votre puissance, par la bouche et les mains, d'une voix et d'une musique pleines d'harmonie…*

Parthénius referma le manuscrit, et, rejetant la tête en arrière, et il me dit avoir écouté autrefois, dans le château d'albâtre, à Soissons, puis à Reims et à Paris, ce joueur de cithare, cet enchanteur, ce magicien que Boèce lui-même, le plus grand de tous les musiciens, avait choisi pour Clovis à la demande de Théodoric.

— Comment notre souverain païen, comment Clovis le barbare n'aurait-il pas été changé par tout cela ?

Les coudes reposant sur la table, Parthénius y appuya ses paumes et continua à parler bas. Reprenant le cours de son récit, il me rappela comment, dès qu'il l'avait vu, il avait jugé que l'homme qui entrait dans Toul en vainqueur n'était plus le même que celui qui, quelques semaines auparavant, avait quitté Soissons à la tête de son armée.

— Il avait reçu la victoire de Dieu, dit Parthénius. Il le savait. Il avait promis d'accepter le baptême en échange. Il ne l'avait pas oublié.

« À Toul il a demandé à voir un saint ermite, un ancien soldat qui vivait retiré, accomplissant parfois des miracles à la demande des nombreux pèlerins qui tentaient de le rencontrer, le suppliant de les guérir. Mais cet homme, qui se nommait Vaast, restait le plus souvent enfermé dans une cahute au milieu de la forêt, et c'est là que Clovis s'en vint le trouver, demandant humblement le droit de lui parler. Il sollicita de lui qu'il l'accompagnât jusqu'au jour du baptême, lui enseignant ce qu'un catéchumène, fût-il roi, devait apprendre de la religion du Christ pour entrer en son sein.

Parthénius redressa la tête, croisa les bras et sourit.

— Quel ermite, même le plus résolu, aurait pu décliner cette requête émanant d'un roi ?

« Il suffit à Vaast de voir le visage de Clovis, d'entendre le son de sa voix pour comprendre qu'il ne pouvait rejeter sa demande. Et n'était-ce pas d'ailleurs tâche sainte ? Il se mit donc en route en compagnie du roi et de son armée.

Parthénius s'interrompit, les yeux clos, le visage caché dans ses mains, puis, sans bouger, la voix étouffée par ses paumes qui lui pressaient la bouche, il précisa qu'il se trouvait aux côtés de Vaast et de Clovis quand ils arrivèrent à Attigny où Clotilde attendait son époux.

— Ils allèrent l'un vers l'autre à pas lents, les mains ouvertes, les bras tendus, elle vêtue de bleu et de blanc, lui, le torse serré dans sa cuirasse d'or et d'argent, le glaive au côté. Ils s'enfermèrent plusieurs jours et plusieurs nuits dans la villa royale. Quand Clovis reparut, il portait une ample tunique de tissu blanc serrée à la taille par un large ceinturon de cuir noir auquel était accroché le glaive.

Parthénius se leva, puis traversa la bibliothèque, passant entre les pupitres des copistes dont les plumes crissaient sur les feuilles de parchemin.

Dès le seuil de la bibliothèque, la lumière m'avait ébloui, violente et en même temps d'une douceur caressante comme une étoffe soyeuse.

Parthénius s'immobilisa.

— Rien n'est simple, murmura-t-il, le front offert aux rayons qui filtraient. La lecture nous éclaire mais nous prive de cette lumière divine. Il faut toujours choisir.

Il se tourna vers moi :

— Le choix de Clovis n'était pas aussi facile qu'il l'avait peut-être cru. À Attigny, il licencie son armée et ne conserve auprès de lui que sa garde personnelle. Mais peut-il dire à ces antrustions qui vénèrent les dieux barbares et sacrifient à Wotan, celui de la Guerre, qu'il va renier ces divinités et choisir de s'agenouiller devant un homme crucifié, martyrisé jusqu'à en mourir, mais qui n'en est pas moins Dieu souverain ? Comment ces guerriers comprendront-ils son baptême ? Se rebelleront-ils ? Et comment les rois hérétiques — Gondebaud le Burgonde, Alaric le Wisigoth, Théodoric le Grand malgré ses lettres bienveillantes — réagiront-ils à une conversion qui fera de Clovis le roi catholique, celui que les évêques soutiendront contre les souverains ariens ?

Parthénius commença à se diriger vers l'escalier de la falaise.

S'arrêtant tous les quatre ou cinq pas, il raconta qu'à Attigny il avait deviné les hésitations de Clovis, peut-être même sa tentation de revenir sur son engagement d'accepter le baptême. Après tout, il avait obtenu la victoire, qui pouvait la lui reprendre ?

— C'était, t'ai-je déjà dit, un homme pareil à un changeur rusé ou à un habile orfèvre. Il soupesa une nouvelle fois avantages et risques, écoutant Vaast et surtout Clotilde. Celle-ci devait sans cesse lui rappeler les termes de son serment, lui répéter que les dieux païens, tout comme les romains ou les grecs, n'étaient que des idoles sans pouvoir, des divinités aussi inertes que la pierre et le bois dans lesquels leurs statues étaient sculptées. Jésus-Christ, au contraire, était fait de chair mortelle, comme un homme, mais aussi de mystère, de puissance et d'éternité, comme Dieu. Elle lui parlait. Elle priait. Elle voulait ce baptême, cette naissance chrétienne de Clovis.

Parthénius s'appuya de la main gauche à mon épaule.

— Un matin, chuchota-t-il comme s'il avait craint d'être entendu, Clotilde me convia à la retrouver dans l'une des salles de la villa royale. Elle s'avança vers moi qui m'inclinai devant elle. Elle posa ses mains sur mes épaules : il fallait, me dit-elle, que je me rende à Reims auprès de l'évêque. Elle avait besoin de l'aide de Remi pour conduire le roi à son baptême, lui enseigner le *Credo.* Je devais partir sur-le-champ.

Parthénius leva la tête, le front baigné par le soleil.

— J'ai pris la route alors que la lumière du ciel était aussi vive qu'aujourd'hui.

Sixième partie

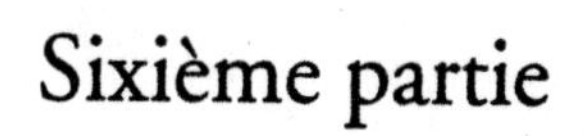

18.

— J'ai dû promettre à Clovis de garder le secret, dit Parthénius.

Il haussa les épaules et, malgré l'obscurité qui avait envahi peu à peu la grotte, je devinai la moue de dépit qui crispait sa bouche et le bas de son visage.

— Comme Clotilde, Remi ou Geneviève, Clovis savait pourtant que je n'avais jamais trahi la confiance de quiconque. Mais il craignait que son peuple et les antrustions de sa garde personnelle n'apprissent par la rumeur que j'avais été chargé par la reine de me rendre à Reims afin de quérir et conduire jusqu'à Attigny l'évêque Remi ; et que celui-ci, depuis son arrivée, logeait dans la villa royale et voyait chaque jour longuement le roi des Francs. Clovis n'était donc plus, pour l'évêque, qu'un catéchumène, un païen aspirant au baptême et qui devait apprendre ce que cela signifiait d'être chrétien, catholique, de croire à la nature à la fois humaine et divine du Christ.

« Clovis s'est penché vers moi et m'a dit :

« — Tu te tairas, Parthénius. Tu seras plus silencieux qu'une pierre ; tu en réponds sur ta tête !

« Je me suis alors souvenu du coup de hache par lequel il avait fendu le crâne du soldat qui, déjà plus de dix ans auparavant, l'avait défié.

« Il me fixa et son regard était si impérieux, si chargé de violence et de soupçon, que je baissai les yeux. Je me dis qu'il pouvait aussi bien me fracasser la tête, là, simplement pour ne pas avoir à s'interroger sur mon attitude.

« Je sortis à reculons de cette salle tout en entendant Remi se porter garant de ma discrétion. Mais ce désir de secret me conduisit à penser que Clovis hésitait encore, qu'il pesait et soupesait, qu'il se comportait d'abord en roi plus soucieux de son autorité terrestre que de sa foi. Car il pouvait craindre que les trois mille soldats de sa garde ne se rebellent en découvrant que leur suzerain avait renoncé à être le descendant de leurs dieux païens, le représentant sacré de Wotan — dieu de la Guerre —, l'héritier d'une lignée de souverains d'origine divine. Pourquoi auraient-ils continué de lui obéir s'il rejetait son héritage et, se convertissant, devenait chrétien ?

Parthénius fit osciller ses mains comme s'il estimait le poids d'un objet.

— Clovis pesait et soupesait, reprit-il. Et chaque soir Remi me faisait part des questions, des doutes, des hésitations du souverain.

« — Je t'écouterais volontiers, saint père, lui répétait Clovis, mais les hommes qui me suivent et obéissent à mes ordres ne veulent pas abandonner leurs dieux. Et où serait ma force s'ils me quittaient ou, pire, me combattaient ? Sais-tu, Remi, qui se jetterait aussitôt sur ta ville de Reims, sur mon royaume ? Les rois hérétiques des peuples wisigoth, burgonde et ostrogoth. Est-ce donc cela que tu veux ?

« Remi était un homme sage qui avait alors passé les soixante ans. Il était évêque de Reims depuis une quarantaine d'années et regardait Clovis avec une bienveillance paternelle. Âgé de trente-trois ans, le roi des Francs était encore un homme jeune, et pour lui, Remi, il n'était qu'un mortel comme les autres qui devait naître par le baptême.

« Remi répondait au roi :

« — Des trois mille soldats de ta garde tu feras des chrétiens, ils seront baptisés avec toi, mais, pour cela, il faut que tu le veuilles, que tu croies en Dieu, en ce qu'Il est : Christ mortel, Dieu immortel et Esprit-Saint.

L'évêque lui demandait de répéter le *Credo* : « Je crois au vrai Dieu, créateur du ciel et de la terre, père tout-puissant. Je crois en Jésus-Christ, son fils unique, engendré et non créé... »

Parthénius s'interrompit pour prier un moment, agenouillé, les avant-bras posés sur le rebord de la petite table, mains jointes.

— Clovis, reprit-il, ne pouvait accepter que le Christ eût été crucifié. Il s'en indignait en ces termes que me rapporta Remi :

« — Quel est donc ce Dieu ? Où est Sa toute-puissance s'Il s'est laissé supplicier comme un voleur ? Est-ce là un Dieu créateur du ciel et de la terre ?

Puis il s'écriait :

« — Que n'étais-je présent avec mes Francs ! J'aurais empêché qu'on L'injurie, qu'on tue ce Dieu ! Ou bien je L'aurais vengé ! »

Parthénius se leva en soupirant et arpenta la grotte, hochant la tête comme s'il revivait avec une trop forte émotion ces jours passés à Attigny à écouter, le soir, Remi faire le récit de ses rencontres avec Clovis et s'interroger sur la décision qu'allait prendre le roi des Francs. Mais celui-ci la repoussait de jour en jour, revenant sur ce que l'évêque croyait acquis : la nature à la fois humaine et divine du Christ, la mort et la résurrection, la crucifixion et l'immortalité…

— Remi s'inquiétait des tergiversations de Clovis. Un soir, après avoir longuement prié, il me confia que le roi lui paraissait parfois tenté par l'hérésie. Ses sœurs, Lantéchilde et Audoflède, avaient embrassé la foi arienne…

Parthénius esquissa un geste de dénégation de la main.

— J'ai détrompé Remi. Clovis se souciait comme d'une guigne de la foi de ses sœurs. Il soupesait les croyances en roi. L'hérésie était la religion des Goths et des Burgondes, celle qui dominait en Burgondie, en Aquitaine et en Italie, celle qu'à Rome même des papes avaient ménagée. Et, à Byzance, l'empereur Anastase montrait lui aussi des prévenances pour cette hérésie qui faisait de Dieu une idole, et donc des rois à Son image, tout-puissants, des êtres d'une nature différente, d'une essence supérieure à celle du commun des mortels. Alors qu'au contraire, croire à la nature à la fois humaine et divine du Christ revenait à admettre qu'un roi n'était pas Dieu, mais homme, mortel lui aussi.

Parthénius se rassit.

— Nous avons prié chaque soir, Remi et moi, pour que Dieu nous vienne en aide. Mais Il semblait vouloir au contraire nous rendre la tâche plus difficile. Des messagers venus de Rome rapportaient qu'un antipape avait été élu et que les catholiques se divisaient : les uns, fidèles au premier pontife, Symmaque, condamnaient les ariens ; les autres, suivant l'antipape Laurent, étaient prêts à reconnaître l'hérésie. Qui croire ? demandait Clovis. Est-ce cela, la religion d'un Dieu tout-puissant ?... Sans compter qu'il y avait aussi cette rumeur annonçant la fin du monde, la venue de l'Antéchrist, le règne du démon dont on prétendait, au terme de savants calculs, qu'il commencerait en l'an 500 ! Il fallait que le baptême de Clovis eût lieu avant cette date de manière à rassurer les foules qui se lamentaient, criaient leur désespoir.

« — Il faut que Dieu nous vienne en aide, répétait Remi. S'Il le veut, nous baptiserons Clovis le 25 décembre, et le peuple verra par cet acte que c'est Notre-Seigneur qui va continuer Son règne, et non l'Antéchrist commencer le sien !

Parthénius se signa.

— J'ai douté et je m'en repens, murmura-t-il.

« Clovis a quitté Attigny avec une partie de sa garde. J'ai retrouvé Remi et Clotilde à la villa royale. J'ai su que l'évêque avait déclaré au roi qu'il ne pouvait plus rien lui enseigner. Désormais, Clovis devait choisir seul son chemin et s'avancer vers le baptistère s'il le désirait. C'était directement avec Dieu, sans l'intermédiaire d'un de ses vicaires ni d'une épouse chrétienne, qu'il devait en débattre. Dieu saurait l'éclairer et le conduirait au baptême ; ou bien Il jugerait que le temps n'était pas encore venu.

« — Tu choisiras alors ce que tu croiras vouloir et que les forces de l'ombre t'auront imposé pour un temps, lui avait dit Remi. Mais je te retrouverai quand tu voudras.

Au bout d'un long silence, le menton appuyé sur sa poitrine, les yeux fermés, la respiration bruyante comme celle d'un homme qui s'est soudain assoupi, Parthénius sursauta.

J'eus l'impression qu'il me découvrait, se souvenant tout à coup du lieu où il se trouvait : dans cette grotte de la falaise de Marmoutier, et non dans la villa royale d'Attigny, pas plus qu'à Reims, dans le palais royal, au-dessus de la porte Basée, non loin de l'église Saint-Pierre, où Clovis s'était installé au retour de son pèlerinage à Tours.

— Car c'est sur la tombe de saint Martin que le roi s'était rendu, reprit Parthénius. Tel était Clovis : il voulait voir par lui-même ce qu'était la force de cette religion, celle des reliques de saints, l'influence qu'elle exerçait sur les peuples. Dans la basilique, il a vu ces énergumènes qui, venus les membres tors, la bave aux lèvres, étaient guéris rien qu'en touchant le tombeau de Martin. Il a vu ces pèlerins arriver de toute la Gaule, d'Italie, de plus loin encore, défiant l'autorité et la foi de leurs souverains ariens pour venir s'agenouiller devant la basilique dédiée à Martin.

« La ville de Tours était encore aux mains des Wisigoths, mais Clovis n'avait eu que la Loire à traverser pour s'y rendre ; après sa victoire sur les Alamans, il était déjà un souverain trop puissant pour que le roi Alaric lui interdise l'accès à ce pèlerinage.

« On dit que Clovis s'agenouilla, fidèle parmi les humbles fidèles, et qu'à ses côtés les soldats de sa garde, les antrustions, baissèrent eux aussi la tête, ployèrent eux aussi le genou, entourés par une foule qui avait affronté tous les dangers, durant des mois et des mois de voyage, pour parvenir jusqu'au tombeau de cet homme saint, mort mais immortel.

« Dès que leur roi eut quitté la basilique, les antrustions l'interpellèrent : ils lui jurèrent qu'ils se tenaient prêts à le suivre et à l'imiter, à abandonner leurs dieux mortels et leurs idoles si lui, Clovis, prenait pour maître ce Dieu éternel capable de rassembler autour de la tombe d'un de ses fidèles des milliers de pèlerins, montrant ainsi Sa puissance infinie. Tous aspiraient à être baptisés avec lui.

Parthénius écarta les bras.

— Clovis obtint ainsi à Tours les réponses qu'il cherchait : ses soldats lui demeureraient fidèles s'il choisissait la religion nouvelle, et celle-ci soulevait les peuples.

« Pourquoi aurait-il refusé ou retardé son baptême puisque ce Dieu possédait une telle puissance ?

« Il se dirigea donc vers Reims, là où il devait recevoir ce sacrement des mains de Remi le 25 décembre 499.

19.

— Si tu avais assisté au baptême de Clovis, jamais plus tu ne pourrais oublier cette journée du 25 décembre 499, avait commencé Parthénius.

Debout devant la grotte, bras croisés, le front levé, il paraissait fixer l'horizon teinté de rouge à cette heure, mais il gardait les yeux clos.

Quand je m'approchai de lui après qu'il eut répété d'une voix exaltée, tremblante, voilée par l'émotion : « Jamais plus tu ne pourrais oublier ! », il ne broncha pas, comme si une scène grandiose et fascinante se déroulait devant lui et qu'il ne voulût rien en perdre.

— Tu n'aurais pas reconnu Reims ce jour-là, reprit-il. De bon matin, ce 25 décembre, j'ai parcouru la ville et suis allé de la porte de Cérès à la porte de Mars, de la porte aux Ferrons à la porte Basée. Partout, dans chaque rue et autour du Forum, et dans chaque église, et sur les parvis, à Sainte-Marie, à Saint-Pierre, à Saint-Nicaise, à Saint-Jean, et devant les sanctuaires qui se dressent au-delà de la porte Basée, le long de la voie Césarée qui traverse la ville, la foule se pressait. Imagine des prêtres, des moines, les trois mille antrustions portant leurs glaives, leurs francisques, leurs lances, et puis les paysans venus des bords de la Vesle, tous là dans l'attente de l'arrivée du cortège royal que devaient précéder Remi et d'autres évêques arrivés depuis quelques jours des autres grandes cités de Gaule.

Parthénius fit un pas en avant sur la plate-forme comme pour s'approcher de ce qu'il voyait.

— Il y avait cette foule, cette rumeur que font des milliers de pas sur les pavés, et ces milliers de corps qui se touchent, et leurs chuchotements. Et pourtant, la ville entière était comme une immense nef : pas un éclat de voix, chacun était saisi par la solennité du moment. La cité elle-même avait changé de visage. On avait tendu de grands voiles brodés en travers des rues, si bien que dans cette pénombre on se serait vraiment cru à l'intérieur d'une basilique. Les façades avaient été recouvertes de tapisseries, les églises étaient ornées de courtines blanches, et dans les nefs, sur les parvis brillaient des centaines de cierges dont la lumière irisait les vapeurs d'encens. Des cassolettes brûlaient dans toutes les rues, répandant une brume parfumée qui semblait étouffer les bruits. Quand tout à coup...

Parthénius ouvrit les bras.

— ... On les vit s'avancer au milieu des acclamations. Le cortège avait quitté le palais royal, au-dessus de la porte Basée. Il se dirigeait d'un pas solennel vers la cathédrale Notre-Dame. C'était comme si un nouveau monde naissait en ce jour anniversaire de la naissance du Christ où Clovis, roi des Francs, Clovis le païen allait entrer dans l'eau du baptistère, nu, et en resurgir chrétien, roi catholique autour duquel viendraient — tel était l'espoir des évêques, de Geneviève, de Clotilde et du souverain lui-même — se rassembler tous les peuples de Gaule. L'eau baptismale allait effacer de lui toutes les souillures, toute trace de la vieille lèpre du péché.

Parthénius s'appuya aux rochers qui fermaient la plate-forme.

— En tête du cortège venait la croix suivie par les moines portant les livres sacrés, puis s'avançait Clovis dont l'évêque tenait la main, et, près de lui, marchaient les évêques des autres cités.

« J'ai observé Clovis. Son visage paraissait sculpté dans le marbre blanc. Il avait gardé sa longue barbe et ses cheveux bouclés, ces signes païens de sa puissance royale.

« Derrière lui venait Clotilde, le front recouvert d'un long voile bleu qui dissimulait un peu ses cheveux blonds, couvrant ses épaules et sa tunique blanche.

« Elle était suivie de Thierry, le fils aîné du roi, né d'une concubine, et de ses propres enfants, Clodomir, Childebert, Clotaire, Clotilde, puis des princesses sœurs du roi Lantéchilde et Alboflède. Arienne, Lantéchilde avait décidé de renoncer à cette hérésie et d'entrer dans la vraie foi en même temps que son frère. Alboflède était encore païenne mais elle aussi, comme Clovis, allait être baptisée ce 25 décembre 499.

« Derrière cette croix, ces moines, ce roi, ces évêques, cette épouse, ces princesses, ces enfants, marchaient trois mille soldats, les antrustions de la garde, qui allaient eux aussi être baptisés.

« Dans toute la cité de Reims s'élevaient dans un chœur ininterrompu les cantiques et les hymnes.

Parthénius s'interrompit, baissant la tête, le menton sur la poitrine, comme pour mieux écouter ces chants montant du passé.

— J'ai vu Clovis s'apprêter à descendre les marches du baptistère. Il était nu mais portait encore ses colliers qui étaient des talismans païens. Je l'ai entendu énoncer d'une voix forte qu'il sollicitait de l'évêque le baptême. Remi lui a alors demandé s'il renonçait à Satan, s'il croyait à la très sainte Trinité, s'il dénonçait ainsi l'hérésie des Wisigoths, des Burgondes et des Ostrogoths, s'il choisissait d'être catholique et non arien.

« À chaque fois, la voix de Clovis a retenti, plus forte.

« Puis j'ai entendu celle de Remi marteler chaque mot :

« — Dépose humblement tes colliers, fier Sicambre, adore ce que tu as brûlé, brûle ce que tu as adoré !

« Clovis a alors descendu les marches du baptistère. Il a reçu trois fois l'immersion au nom du Père, du Fils et du Saint-Esprit.

« Lorsqu'il est ressorti, baptisé, il a été confirmé par Remi.

« Clovis avait bel et bien déposé ses colliers et revêtu une tunique blanche, celle des nouveaux croyants.

« Après lui, ses sœurs puis les trois mille antrustions reçurent à leur tour le baptême, ces derniers par aspersion.

Tourné vers moi, Parthénius rouvrit enfin les yeux.

— Un autre monde était né en ce 25 décembre 499, énonça-t--il avec solennité. Si tu avais vu, agenouillés dans la nef de l'église Notre-Dame, ces trois mille guerriers dans leur robe blanche, tu aurais éprouvé comme moi un sentiment de plénitude, de force et de joie.

« Comme Geneviève et Remi me l'avaient annoncé, Dieu avait réalisé Son dessein : Clovis était devenu le roi catholique d'un peuple franc.

« On dit — mais je ne l'ai pas vu — que, ce 25 décembre, ce fut une colombe qui apporta à Remi, au moment du baptême, l'huile sacrée, le saint chrême dont il devait marquer le corps de Clovis et celui de sa sœur païenne, Alboflède. La foule était si dense que le moine qui s'était chargé de cette huile sainte n'avait pu parvenir jusqu'au baptistère ; une colombe s'était alors saisie du flacon et avait voleté sous les voûtes jusqu'à Remi.

Parthénius secoua la tête.

— Je n'ai pas vu la colombe, répéta-t-il, mais cette journée fut bel et bien celle du miracle !

« Clovis, le plus prudent des rois, celui qui pesait et soupesait chacun de ses actes, qui avait hésité plus de trois ans après son serment de Tolbiac, qui avait attendu encore plus d'une année entre son pèlerinage à Tours, le 11 novembre 498, jour anniversaire de l'inhumation de Martin, et sa cérémonie de baptême, Clovis avait enfin choisi d'être catholique !

« Sache que cette nouvelle a couru plus vite que le roulement du tonnerre d'un bout à l'autre de la Gaule.

« Elle fut entendue à Ravenne par Théodoric le Grand, roi des Ostrogoths, à Byzance par l'empereur

Anastase, à Toulouse par Alaric le Wisigoth, à Vienne par le roi burgonde Gondebaud.

« Tous comprirent qu'une nation catholique était née et que le champ de l'hérésie arienne était désormais clos. Que la mauvaise graine de l'hérésie ne pourrait plus se répandre. Que le peuple des Francs se trouvait rassemblé derrière la foi de son roi.

« Ainsi, après les Alamans vaincus avec l'aide de Dieu, païens et ariens étaient-ils défaits, et l'alliance entre Clovis et Dieu, entre les Francs et l'Église, consacrée.

Parthénius se signa.

— En ce 25 décembre 499 était bien né un monde nouveau, répéta-t-il avec flamme.

20.

— Je veux encore te lire deux lettres, me dit Parthénius en fouillant dans une cavité de la paroi que je n'avais pas encore remarquée.

Il enfonça ses avant-bras dans une fissure qui s'ouvrait au-dessus de sa couchette et en retira un volume relié de cuir sombre. Il le posa sur la petite table et, d'un geste, me demanda d'approcher la bougie.

Il ouvrit le volume, et la flamme éclaira des feuilles de parchemin couvertes d'une écriture serrée qui y dessinait des lignes noires et sinueuses. Ainsi qu'il l'avait fait avec les manuscrits de la bibliothèque du monastère, il effleura de ses paumes ouvertes le parchemin comme s'il voulait le caresser, faisant lentement glisser ses doigts comme pour imprégner sa peau du texte qu'il lut d'abord à voix si basse, remuant imperceptiblement les lèvres, que je n'entendis qu'un murmure indistinct.

Puis il leva les yeux.

— Je t'ai parlé d'Avitus. C'était l'évêque de Vienne. Il avait été élu à la tête de son évêché en 494, et, bien qu'il fût catholique, Gondebaud, roi des Burgondes, l'avait accepté.

Parthénius haussa les épaules, m'expliquant que Gondebaud était certes un hérétique arien, mais qu'il était aussi roi et devait donc prendre en compte la force que représentait cet évêque.

— À Vienne et autour de la cité, dans toute la vallée du Rhône et en d'autres régions du royaume burgonde, les catholiques étaient nombreux et n'auraient pas admis que l'on persécutât. Ce Avitus, Gallo-Romain, homme de savoir, saint mais habile aussi, cherchait à convaincre Gondebaud que son intérêt de souverain était de se faire catholique et qu'il lui fallait suivre l'exemple de Clovis. Mais Gondebaud craignait les réactions de Théodoric le Grand : arien lui aussi, le roi ostrogoth aurait-il toléré que Gondebaud se convertisse ?

Parthénius tourna les pages du manuscrit.

— Gondebaud savait que pour affirmer sa prééminence et la vitalité de la confession arienne, Théodoric avait célébré à Rome le triomphe de ses trente années de règne.

Parthénius haussa de nouveau les épaules.

— Mais il s'agissait d'une fête païenne, avec jeux de cirque offerts aux Romains, distribution de blé et de vin, défilés, Théodoric entrant au Palatin comme un empereur, le pontife de sa religion. Le roi ostrogoth n'avait pas compris qu'il ne pouvait étouffer ainsi le retentissement du baptême de Reims. Son triomphe était celui d'un monde ancien que le monde nouveau advenu avec le baptême de Clovis avait commencé de remplacer. Mais…

Parthénius leva la main.

— … Mais si Gondebaud avait interdit à Avitus de se rendre, à l'instar d'autres évêques, à la cérémonie de Reims, il n'avait pas osé, prudent, l'empêcher d'adresser un message à Clovis.

Parthénius se recula, plissa les paupières et entreprit de déchiffrer ce qu'avait écrit Avitus :

— *Je n'ai pu assister de corps à votre glorieuse régénération. Mais j'ai participé de cœur à vos joies. Aussi la nuit sainte nous a-t-elle trouvés pleins de confiance et sûrs de ce que vous feriez. Nous voyions avec les yeux de l'esprit ce grand spectacle : une multitude d'évêques réunis autour de vous, et dans l'ardeur de leur saint ministère versant sur vos membres royaux les eaux de la résurrection ; votre tête redoutée des peuples se courbant à la voix des prêtres de Dieu ; votre chevelure royale, intacte sous le casque du guerrier, se couvrant du casque salutaire de l'onction sainte ; votre poitrine sans tache débarrassée de la cuirasse et brillant de la même blancheur que votre robe de catéchumène. N'en doutez pas, roi puissant, ce vêtement si mol donnera désormais plus de force à vos armes ; tout ce que, jusqu'à aujourd'hui, vous deviez à une chance heureuse, vous le devrez à la sainteté de votre baptême.*

Parthénius interrompit sa lecture.

— Avitus était un homme courageux, commenta-t-il. Il écrivait cela alors qu'il se trouvait au cœur du royaume burgonde. Plus loin, il se montre encore plus audacieux, condamnant ceux qu'il appelle les « sectateurs de l'hérésie », félicitant Clovis de n'avoir conservé de son « antique généalogie que sa noblesse ». Il salue donc le roi qui a osé rejeter les traditions païennes de sa race et même le respect dû au culte de ses ancêtres. Et il montre son mépris pour ces souverains, comme Gondebaud, qui préfèrent une « fausse honte au salut », et restent incrédules :

« Vous, vous marchez sur les traces de vos ancêtres en gouvernant ici-bas, vous ouvrez la voie à vos descendants en voulant régner au ciel... La Providence divine a découvert l'arbitre de notre temps. Le choix que vous avez fait pour vous-même est une sentence que vous avez rendue pour tous. Votre foi, c'est notre victoire.

Parthénius leva la tête et ferma les yeux.

— Votre foi, c'est notre victoire ! répéta-t-il.

Puis le vieillard suivit du doigt les lignes du parchemin, à la recherche, dit-il, d'un passage — peut-être la conclusion de cette lettre ? — dans lequel Avitus exhortait Clovis à porter la parole de Dieu chez les autres peuples.

— Clovis, par la grâce de Dieu, par le baptême, devenu le roi évangélisateur ! s'exclama-t-il. Écoute et mesure encore le courage d'Avitus qui écrit ces lignes de Vienne :

« Puisque Dieu, grâce à vous, va faire de votre peuple le Sien tout à fait, eh bien, offrez une part du trésor de foi qui remplit votre cœur à ces peuples assis au-delà de vous et qui, vivant dans leur ignorance naturelle, n'ont pas encore été corrompus par les doctrines perverses : ne craignez pas de leur envoyer des ambassades et de plaider auprès d'eux la cause du Dieu qui a tant fait pour le vôtre !

Parthénius avait lu ce texte d'une voix de plus en plus forte et avait prononcé les derniers mots à l'instar d'un prédicateur. Puis il reprit longuement son souffle.

— Avitus voit loin, murmura-t-il. Ce 25 décembre 499, il dit à Clovis : « Vous êtes né pour le Christ comme le Christ pour le monde ! »

« Ce sont bien des temps nouveaux qui commencent.

Les mains toujours posées à plat sur le parchemin, Parthénius se recueillit.

— Dieu est exigeant, se borna-t-il à ajouter après un long silence.

Il tourna quelques pages, puis eut un hochement de tête en découvrant des phrases qu'il semblait reconnaître.

— Je vais peut-être te paraître succomber au péché d'orgueil. Mais je veux maintenant te lire ce qu'écrit Remi à Clovis. C'est la deuxième lettre dont je t'ai parlé.

Il toussota, comme s'il était gêné, puis lut :

— *En saluant votre gloire, je vous recommande aussi le prêtre Parthénius qui fait partie de mon entourage et que je vous envoie...*

Peut-être fut-ce la première fois qu'il sourit en découvrant mon étonnement.

— Remi m'avait en effet chargé d'une lettre qu'il adressait « Au Seigneur illustre pour ses mérites, le roi Clovis ». Car, à peine baptisée, la sœur du roi des Francs, Alboflède, venait de succomber. Je te l'ai dit, notre Dieu est exigeant, Ses décisions sont pleines de mystère. Et Remi craignait que Clovis ne fût trop meurtri par cette soudaine disparition. De fait, dès que j'ai vu le roi, j'ai senti, malgré son impassibilité, qu'il était blessé. Les coins de sa bouche dessinaient une expression faite d'amertume, de tristesse et même de colère. D'un geste, il m'a arrêté au moment où j'allais lui remettre la lettre de Remi, me demandant de la lui lire. J'ai commencé par lui dire que Remi s'excusait de ne pas s'être déplacé lui-même, mais qu'il était prêt à le faire. Si le roi le souhaitait, il affronterait les duretés de l'hiver, mais il avait voulu lui faire parvenir au plus vite ses exhortations.

« Clovis me dit en remuant à peine les lèvres :

« — Lis, lis !

Son ton était rude, presque menaçant. J'ai lu, donc, la première phrase écrite par Remi :

« Je suis moi-même accablé par la douleur que vous cause la mort de votre sœur Alboflède, de glorieuse mémoire...

Parthénius semblait se souvenir de chaque phrase, suivant à peine des yeux le texte couché sur le manuscrit :

— ... *Mais nous avons de quoi vous consoler. Celle qui vient de quitter cette vie mérite d'être enviée plutôt que pleurée. Le Seigneur l'a prise auprès de Lui, et elle est allée rejoindre les élus dans le ciel. Elle vit pour notre foi chrétienne, elle a maintenant reçu du Christ la récompense des vierges... Chassez donc, Seigneur, la tristesse de votre cœur et dominez les émotions de votre âme...*

Parthénius cessa de lire.

— Je me souviens, dit-il, du visage de Clovis. J'avais appris par cœur le texte de la lettre et pouvais donc la réciter tout en regardant le roi, et je voyais passer dans ses yeux des éclairs de violence. Il m'a même paru qu'il serrait les deux accoudoirs de son trône de bois sculpté pour s'empêcher de bondir sur moi, peut-être de me briser la tête d'un coup de hache. J'ai craint que l'épreuve que lui avait infligée le Seigneur ne fût trop dure et qu'en lui le païen ne refît tout à coup surface, vindicatif, faisant payer à l'Église, en frappant ma personne, la mort d'Alboflède. J'ai donc récité vite pour en venir à ces phrases qui, pensais-je, pouvaient verser du baume sur sa blessure. Le plus posément que je pouvais, j'ai enchaîné :

« *Vous avez à gouverner avec sagesse et à vous inspirer de pensées qui soient à la hauteur de ce grand devoir. Vous êtes la tête des peuples et l'âme du gouvernement : il ne faut pas qu'ils vous voient pleurer dans l'amertume et la douleur, eux qui sont habitués à vous devoir toute leur félicité. Soyez donc vous-même le consolateur de votre âme : veillez à ce qu'elle ne se laisse pas enlever la vigueur par l'excès de la tristesse. Croyez-le bien, le Roi des cieux se réjouit du départ de celle qui nous a quittés et qui est allée prendre sa place dans le chœur des vierges.*

Parthénius ajouta :

— C'est quand j'ai dit : « Vous êtes la tête des peuples et l'âme du gouvernement » que Clovis a desserré ses doigts jusque-là crispés sur les accoudoirs, et j'ai su que j'aurais la vie sauve.

Parthénius se leva et soupira :

— Et Dieu, malgré mes prières, l'a préservée jusqu'à aujourd'hui.

Septième partie

21.

— Un roi..., murmura Parthénius, son visage si proche du mien que je sentis sur ma joue le souffle de sa respiration.

Puis il se recula vivement comme s'il craignait de se livrer, malgré lui, à une confidence.

Voulant l'inciter à poursuivre, je répétai :

— Un roi ? Clovis ?

Il marmonna quelques mots indistincts, puis reprit sur la petite table le manuscrit qu'il parut avoir de la peine à soulever.

Je m'approchai pour lui venir en aide, mais il me repoussa en me heurtant de l'épaule, et la facilité avec laquelle il glissa tout à coup le volume relié dans la fente de la paroi me laissa pantois.

Il s'assit sur le bord de sa couchette et je m'installai sur le tabouret, en face de lui.

Je me souviens qu'on entendait le vent gronder dans la vallée, couchant les herbes, ployant les arbres dont la plainte s'élevait, aiguë. Parfois, le craquement d'une branche cassée, peut-être d'un tronc arraché, envahissait la grotte en même temps que battait la pièce d'étoffe qui en fermait l'entrée.

— Quel roi, demandai-je à nouveau. Clovis ?

Parthénius me dévisagea longuement.

— Un roi, reprit-il, le visage tout à coup durci, le menton en avant, les mâchoires serrées ; un roi, qu'il soit païen, arien ou chrétien…

Il s'interrompit comme s'il n'osait aller au-delà de ce dernier mot.

— Même s'il est chrétien, répéta-t-il d'une voix forte, un roi ne pleure longtemps que la perte de son armée ou de son royaume.

Parthénius tendit le bras vers l'anfractuosité de la roche comme s'il voulait reprendre le manuscrit, mais il se contenta de poser les doigts de sa main gauche sur la lèvre inférieure de l'étroite cavité.

— Remi, reprit-il, la bouche cernée par deux fines rides, avait écrit ceci à Clovis :

« Non, ne pleurez pas, l'âme d'Alboflède consacrée au Seigneur resplendit sous les regards de Dieu dans la fleur de sa virginité, et porte la couronne réservée aux âmes sans tache.

Il secoua ses épaules à petits coups nerveux comme pour mimer une dénégation irritée.

— Mais ce que Clovis a entendu, c'est avant tout que, par le truchement d'un évêque, l'Église influente lui disait : « Vous êtes la tête des peuples et l'âme du gouvernement » ! Pourquoi se serait-il lamenté plus longtemps sur la mort de sa sœur ? Elle n'emportait avec elle ni partie du royaume ni soldats de la garde, et puisque, selon Remi, le Seigneur l'avait prise auprès de Lui, et qu'elle était allée rejoindre les élus dans le ciel, où elle vivait pour sa foi chrétienne, pourquoi pleurer ?

Parthénius baissa la tête.

— En observant Clovis dans les jours qui suivirent mon arrivée à Soissons, porteur de la lettre de Remi, j'en vins même à me demander si le roi ne trouvait pas dans la mort d'Alboflède confirmation de ce que Remi, Vaast, Avitus, Geneviève et Clotilde lui avaient dit : qu'il avait été choisi par Dieu pour être, en effet, le souverain catholique de tous les peuples de Gaule.

Plaçant sa main gauche grande ouverte devant ma bouche, Parthénius m'empêcha de le questionner.

Je voulais lui demander ce que lui, prêtre, proche de Geneviève et de Remi, et témoin des actions de Clovis depuis l'accession au trône du jeune roi, avait pensé alors et pensait aujourd'hui, maintenant que le temps s'était écoulé.

Mais, comme s'il avait pressenti ma question, Parthénius murmura qu'il s'était interdit de juger les hommes, se contentant d'exécuter les missions que les évêques lui avait confiées. Et c'est ainsi, ajouta-t-il, qu'il s'était rendu à Arras en compagnie de Vaast, ce noble franc devenu ermite, auquel Clovis avait rendu visite à Toul après la bataille de Tolbiac.

— Vaast, l'ermite, le sage, expliqua Parthénius, était l'un de ceux qui, comme Remi et Clotilde, avaient préparé Clovis au baptême. Vaast lui avait enseigné les principes et mystères de notre foi. Et Remi, à la demande de Clovis, l'avait nommé évêque d'Arras.

Debout, Parthénius fit d'une voix animée le récit de son arrivée à Arras, cité franque que les Huns d'Attila avaient détruite et qui n'était plus, depuis une cinquantaine d'années, qu'un champ de ruines.

Parmi les vestiges et les décombres de l'amphithéâtre romain vivaient des Francs qui adoraient les idoles, ignorant que leur roi était devenu chrétien. On trouvait çà et là des traces de sacrifices humains, des corps mutilés, du sang séché, des chevaux et des taureaux égorgés.

— Quand nous sommes entrés dans la cathédrale, poursuivit Parthénius, nous avons été arrêtés par l'odeur de fumier. Des bêtes y étaient couchées, répandant leurs excréments, des ronces interdisaient d'avancer, et, derrière les débris de l'autel, nous avons vu une forme brune se dresser pour s'avancer vers nous en se dandinant.

Parthénius hocha la tête.

— C'était un ours, toutes griffes dehors, que notre présence avait dérangé et que nous avons évité, puis écarté en le poussant à coups de perche hors de l'église, où nous n'avions pas rencontré figure humaine.

Parthénius leva les bras.

— Tel était le pays franc après le baptême de Clovis. Juge des efforts qu'il fallait faire pour l'évangéliser !

Parthénius plongea de nouveau les avant-bras dans la fissure, en retira le manuscrit, l'approcha de la bougie et tourna les pages.

— Quand j'ai parcouru les ruines d'Arras, que j'ai vu ces païens si attachés à leurs idoles, à leurs cérémonies barbares, cruelles et sanglantes, j'ai pensé qu'il faudrait longtemps avant que la foi ne pénètre ces âmes, et que la vie de Clovis n'y suffirait pas.

Il posa la main sur un des parchemins.

— Voici pourtant ce qu'on a pu écrire quelques années plus tard :

« Vive le Christ qui aime les Francs, qu'il remplisse leurs chefs de la lumière de sa grâce, qu'il protège leur armée, qu'il leur accorde l'énergie de la foi, qu'il leur concède par sa clémence, lui le Seigneur des seigneurs, les joies de la paix et des jours pleins de félicité ! Car cette nation est celle qui, brave et vaillante, a secoué de ses épaules le joug très dur des Romains et ce sont eux, les Francs, qui, après avoir professé la foi et reçu le baptême, ont enchâssé dans l'or et les pierres précieuses les corps des saints martyrs que les Romains avaient brûlés par le feu, mutilés par le fer et livrés aux dents des bêtes féroces !

Refermant le volume, Parthénius ajouta que ce texte, dont l'auteur était un poète inconnu, donnait la mesure de la réussite de Clovis et de ses successeurs, mais qu'en l'an 500 le peuple franc paraissait bien seul face aux souverains ariens, et que le temps n'était pas encore venu de construire des basiliques pour y accueillir les sarcophages contenant les corps des martyrs.

— Après son baptême, Clovis n'avait qu'une seule alliée, l'Église, avec ceux qui la représentaient, Remi, Avitus, et ces femmes si résolument chrétiennes : Clotilde, son épouse, et Geneviève qui gouvernait Paris.

Parthénius attendit qu'une bourrasque de vent accompagnée d'un roulement de tonnerre et de la plainte aiguë des arbres se fût éloignée pour me dire à quel point Paris avait attiré Clovis.

Geneviève l'avait incité à s'y installer. Venant de Soissons, Clovis y arrivait par la vallée de la Seine et résidait sur la rive gauche, en face de l'île de la Cité, là où s'étendaient, immenses, les thermes romains, le palais qu'avaient habité des empereurs ou leurs représentants. Il remontait le *cardo*, cette grande voie qui, du nord au sud, traversait l'île de la Cité, la Seine, et conduisait jusqu'à Orléans.

— Lutèce, Paris…, murmura Parthénius. C'était une cité où, grâce à Geneviève, les chrétiens étaient nombreux. Ils se réunissaient dans la basilique que Geneviève avait fait construire sur la rive droite pour y accueillir le corps de saint Denis. Mais Geneviève entraînait aussi Clovis et Clotilde sur le sommet de ces collines qui dominent la vallée de la Seine, dont les pentes étaient alors recouvertes de vignobles mais sur lesquelles poussaient même des figuiers. C'est là que le roi et la reine des Francs dirent un jour souhaiter élever eux aussi une basilique.

Parthénius se dirigea vers l'issue de la grotte.

L'étoffe claquait. Il la souleva. Le vent s'engouffra en sifflant.

Il s'arc-bouta pour résister à la poussée et s'avança sur la plate-forme où je le rejoignis.

C'était la tourmente : des éclairs jaunes et bleus fendaient l'horizon. Tout n'était que plaintes et fracas, rugissements et sifflements.

— La guerre, grogna Parthénius.

Il s'agrippait aux rochers.

— Les hommes et les dieux se font la guerre, répéta-t-il, et sa voix fut recouverte aussitôt par les grondements du tonnerre.

22.

Debout devant la grotte, Parthénius tendit le bras vers l'horizon que l'orage continuait de déchirer. Dans la vallée, le vent s'était calmé.

— Pense à la foudre quand tu entends le tonnerre, murmura-t-il alors que la rumeur du ciel roulait vers nous comme une avalanche.

Il se pencha par-dessus les rochers comme pour mieux l'écouter, puis se tourna vers moi :

— Mais nous ne voyons que l'une, ou bien nous n'entendons que l'autre.

Il leva la tête et contempla les nuages maintenant immobiles au-dessus de nous.

— Sourd ou aveugle, tel est l'homme, ajouta-t-il.

Il resta un long moment ainsi et ne rentra dans la grotte que lorsqu'une pluie fine et droite se mit à tomber.

Il s'allongea sur sa couchette, me priant d'un geste de laisser soulevé le rideau qui fermait l'issue de la grotte.

Il semblait vouloir écouter le martèlement de la pluie sur les rochers, le remuement des cieux longtemps après la lueur vive de la foudre.

Puis il ferma les yeux et je me dis qu'il voulait dormir.

Mais, au moment précis où je me levais pour regagner le monastère, il lança d'une voix aiguë, presque espiègle, qu'il ne m'avait pas assez parlé de Clotilde, qu'il s'était comporté en somme comme l'ignorant qui ne voit pas la foudre, mais n'entend que le tonnerre.

— La foudre, reprit-il en se soulevant, coude replié, la joue appuyée à son poing fermé, la foudre c'était Clotilde, et Clovis n'était que le tonnerre. Sans elle, aurait-il existé ? L'un ne va pas sans l'autre, je te l'ai dit. Sans éclair pour illuminer le ciel, c'est le silence.

Il hocha la tête comme s'il venait de s'en convaincre lui-même.

— Clovis donnait de grands coups de hache, tranchait les têtes sur les champs de bataille, mais Clotilde était la volonté qui animait son bras.

Parthénius se redressa, puis, assis sur le bord de sa couchette, il m'invita à prendre place, comme à l'habitude, sur le tabouret.

— Clotilde avait voulu le baptême de ses enfants comme une reine et une femme germanique qui agit à sa guise. Quand Clovis est enfin devenu chrétien, elle l'a invité, à l'instar d'Avitus, de Vaast, de Remi et de Geneviève, à agrandir son royaume pour que les peuples ainsi soumis soient arrachés aux idoles et à l'hérésie.

Parthénius soupira.

— Les femmes ont, je crois, une mémoire plus longue que les hommes. Clotilde se souvenait que son père, Chilpéric, et sa mère, Carétène, avaient été l'un égorgé, l'autre noyée par le roi burgonde. Je l'ai entendue maudire Gondebaud, s'emporter même contre Avitus, l'évêque de Vienne. Celui-ci flattait habilement celui-là dans l'espoir de le convertir, louant son intérêt pour les auteurs grecs et latins, conversant souvent avec lui dans les deux langues, se félicitant que le roi burgonde lui eût abandonné l'éducation de ses fils Sigismond et Godomar dont lui, Avitus, avait fait des chrétiens baptisés dans la vraie foi. Mais Clotilde se souciait fort peu du jeu subtil d'Avitus, de l'habileté de Gondebaud, aussi arien que Théodoric le Grand mais laissant entendre à l'évêque qu'il songeait à se convertir clandestinement à la foi catholique.

Parthénius s'était remis à arpenter la grotte et je savais que cela signifiait qu'il allait parler encore une partie de la nuit, que ce serait comme si chaque pas entraînait une nouvelle phrase.

— Clotilde était une femme germanique, répéta-t-il avec presque de l'enthousiasme. Elle avait l'âme et le corps droits. Elle voulait le châtiment de Gondebaud, le tueur, et œuvra jusqu'à ce que Clovis décide de s'allier avec Godegisel, frère du roi burgonde, celui-là même qui, à Genève, avait accueilli jadis Chrona et Clotilde, les deux fillettes dont Gondebaud avait massacré les parents. Chrona avait fondé depuis lors le monastère de Saint-Victor, et Clotilde était devenue la reine catholique des Francs, peuple converti lui aussi de par le baptême de son roi. Comment Clotilde n'aurait-elle pas voulu briser Gondebaud le Burgonde au moment où celui-ci songeait à détrôner Godegisel et à l'égorger ?

*T*out en continuant d'aller et venir dans la grotte, Parthénius écarta les bras.

— Il y eut ainsi la foudre, Clotilde, puis le tonnerre : Clovis entrant avec son armée dans le royaume burgonde, rejoignant sous les hautes murailles de Dijon les soldats de Godegisel, les deux troupes livrant combat contre celle de Gondebaud alors que la population de la ville, rassemblée sur les chemins de ronde, assistait à la bataille, voyait les têtes rouler, tranchées à grands coups de hache, et bientôt Gondebaud s'enfuir, chevaucher vers le sud jusqu'en Avignon, s'enfermer dans la forteresse qui dominait le Rhône, Clovis et Godegisel l'ayant poursuivi jusque-là.

Parthénius s'arrêta devant l'entrée de la grotte. Il se tut et je perçus le lointain roulement du tonnerre qu'accompagnait le crépitement de la pluie.

— C'était la première fois que Clovis voyait le soleil d'or des pays du Sud. Lorsqu'il revint à Soissons, je l'entendis parler du vin de ces régions, d'un rouge presque noir, épais, enserrant la tête d'un cercle brûlant, mais un vin si parfumé que le roi avait eu bien de la peine à quitter ce pays pour regagner son royaume, laissant à Godegisel cinq mille guerriers.

« Cependant que Clovis parlait, Clotilde s'était agenouillée, murmurant qu'il aurait fallu obtenir la reddition de Gondebaud, qu'un serpent, quand on l'a pris, il faut aussitôt lui trancher la tête, sinon il glisse hors du sac et vous mord au talon en crachant son venin. Alors, celui qui se croyait vainqueur succombe...

Parthénius revint vers moi.

— De fait, Gondebaud était une vipère, et Godegisel avait trop bu de vin du Sud. Il avait levé le siège d'Avignon et s'était emparé de Vienne, la capitale de Gondebaud. Ivre de cette victoire, fier de pouvoir parcourir les rues de cette cité, il imaginait que sa conquête allait faire de lui le roi des Burgondes.

« Tout à coup, un matin, des bruits de cymbales, des hurlements, le choc des armes contre les boucliers le dégrisèrent !

« L'armée de Gondebaud était sous les murs de Vienne. Elle enfermait la ville entre des doigts de fer.

Plus tard, des fugitifs ont raconté à Clotilde comment Godegisel avait chassé hors de la ville toute la population, n'ayant plus ni grain ni eau pour elle. Il entendait rester dans la cité avec ses seuls guerriers. Du haut des remparts, ceux-ci ont vu les femmes et les vieux, et les enfants à leur suite comme des chiots perdus, errer entre les murs de Vienne et les haches des soldats de Gondebaud. Puis ils ont cessé d'appeler à l'aide, d'implorer pitié, et se sont couchés sur la terre pour y mourir.

Parthénius se pencha vers moi.

— Celui qui croit agir avec sagesse parce qu'il se montre impitoyable et oublie les sentiments de son cœur, celui-là, Dieu le punit par où il a péché !

Il s'interrompit un instant, puis reprit :

— Indigné du sort réservé aux habitants de la ville, un homme indiqua à Gondebaud qu'on pouvait s'infiltrer dans la cité par l'aqueduc, qu'il suffisait qu'on lui fît confiance : il en connaissait tous les dédales, l'ayant lui-même jadis construit. Il savait quelle pierre il fallait soulever pour surgir dans les rues de Vienne, loin derrière les murailles sur lesquelles étaient assemblés les soldats de Godegisel.

« Gondebaud et les siens ont ainsi reconquis la ville : grand massacre, ruisseaux de sang couvrant les pavés, Godegisel égorgé dans l'église de Vienne par son frère Gondebaud en personne, et tous ses proches suppliciés, martyrisés, écartelés, brûlés, éventrés, écorchés...

S'étant redressé, Parthénius se remit à marcher.

— Mais, je te l'ai dit, Gondebaud était un souverain habile, plein de duplicité. Il n'avait pas touché un cheveu des soldats de Clovis, qui s'étaient enfermés dans une tour, mais les avait envoyés en exil à Toulouse, chez les Wisigoths d'Alaric. N'était-ce pas la preuve qu'il souhaitait la paix ? Alors que le sang n'avait pas encore séché sur les pavés de Vienne, il avait expliqué à l'évêque Avitus qu'il allait promulguer une loi qui porterait son nom, la loi gombette, qui serait équitable envers tous les sujets du royaume, qu'ils fussent burgondes ou gallo-romains. Et Avitus l'avait remercié, continuant d'espérer en une conversion du roi à la vraie foi. Il avait même félicité Gondebaud en ces termes : « Tous vos dommages se sont tournés en profit ; ce qui faisait couler nos larmes nous réjouit maintenant ! »

Parthénius alla se rallonger sur sa couchette, puis, d'un signe, me demanda de souffler la bougie et de laisser retomber le rideau.

On n'entendait plus que le tonnerre, mais, de temps à autre, la foudre continuait d'illuminer l'horizon.

— Clovis a rencontré Alaric, roi des Wisigoths, non loin d'ici, murmura Parthénius, sur une barque immobilisée au milieu de la Loire, tout comme il avait jadis négocié avec Gondebaud au milieu de la Cure. Il était donc en paix avec les deux rois ariens.

« Alaric lui rendit les cinq mille soldats exilés par Gondebaud. Celui-ci paya même un tribut à Clovis et donna deux villes, Avignon et Digne, à Alaric pour le soutien que les Wisigoths lui avaient accordé. Car celui qui ne t'attaque pas quand tu es attaqué est un allié !

Parthénius ferma les yeux.

— J'ai entendu Clotilde dire au milieu de ses prières qu'elle avait entendu le grand bruit de la guerre, mais qu'elle n'en avait point vu la récolte...

Le vieil homme se tourna vers la paroi, marmonna plusieurs mots que je ne compris pas, puis répéta :

— La foudre, la foudre est la lumière de Dieu !

23.

C'était le lendemain matin de la journée d'orage et de vent, après la nuit de pluie qui avait suivi.

Parthénius avait souhaité marcher le long des berges de la Loire, dans la lumière d'un soleil gris qui naissait, déchirant peu à peu la brume tenace. À chacun de nos pas, il me semblait que nous arrachions un soupir à la terre gorgée d'eau.

Tout à coup, Parthénius s'immobilisa, puis, la tête rentrée dans les épaules, il s'approcha d'un buisson devant lequel il s'agenouilla.

Je m'avançai vers cet entrelacs de branches ployées, de feuilles luisantes, chargées de gouttelettes, et je le vis écarter les ronces qui s'étaient agrippées à sa tunique.

Il avait joint les mains et, se tournant vers moi, il me présenta, comme pour une offrande, un oiseau aux plumes ébouriffées, le cou étiré, les yeux vitreux.

— Il est mort, dit Parthénius en caressant le volatile.

Il me le tendit et je frissonnai en touchant ce petit corps froid et raidi.

Toujours à genoux, Parthénius creusa un trou dans le sol spongieux, puis reprit l'oiseau et l'ensevelit, le recouvrant de cette terre noire que ses longs doigts osseux tassaient.

Il se redressa difficilement et s'éloigna en se frottant les mains, sans paraître même se souvenir que je me tenais à ses côtés.

Nous avons ainsi avancé en remontant le fleuve, dépassant l'anse où Martin avait autrefois pris pied.

Enfin, Parthénius s'arrêta, me dévisagea comme s'il avait cherché, fouillant dans son souvenir, à me reconnaître, puis il murmura :

— Clovis et Clotilde ont assisté à l'inhumation de Geneviève sur la colline qu'on appelait le mont Lucotecius, sur la rive gauche. Cette hauteur dominait la Seine en face de l'île de la Cité. C'était là que se trouvait le plus ancien cimetière de Paris. Des stèles se dressaient dans les champs au sommet du mont. Les évêques de Lutèce y avaient leur sépulture, et, parmi eux, l'un des plus connus, Prudence. Là, assurait-on, les premiers chrétiens s'étaient jadis réunis dans les catacombes. Celles-ci ont peut-être été occupées par les Gaulois quand ce peuple n'avait pas encore été vaincu par les armées de César. On y a découvert aussi les vestiges d'un ancien sanctuaire dédié à Diane chasseresse.

Parthénius esquissa un ample geste du bras montrant l'horizon comme si, se trouvant sur le mont Lucotecius, il avait eu, déployée devant lui, cette antique nécropole de Paris.

— Pendant qu'on recouvrait de terre le cercueil de Geneviève, reprit-il, j'ai vu sur le visage de Clovis une expression que je ne lui connaissais pas : ses traits s'étaient creusés, son regard voilé était le plus souvent levé vers le ciel. Il m'a même semblé qu'il remuait les lèvres, et j'ai pensé qu'il priait. À un moment, il s'est tourné vers Clotilde et celle-ci l'a regardé. Ils sont restés ainsi longtemps, puis Clotilde a saisi la main de son époux, et ils n'ont plus bougé jusqu'à ce que le cercueil ait disparu sous la terre. Alors ils se sont éloignés de quelques pas, Clotilde s'est agenouillée et Clovis a posé la main sur son épaule.

Parthénius baissa la tête, murmurant que jamais il n'avait éprouvé une telle émotion.

— J'ai su que Clovis le vindicatif, Clovis l'impassible, à ce point maître de lui que son visage en paraissait sculpté dans le marbre, avait été, par la grâce de Geneviève, touché comme l'est un humble chrétien priant pour l'âme d'un défunt.

Parthénius reprit sa marche et je lui emboîtai le pas.

— Tout au long de sa vie, Geneviève avait accompli de nombreux miracles. Elle avait chassé le démon du corps des énergumènes qui, à Tours, l'avaient accueillie par des cris enragés, elle avait guéri des paralysés, mais la manière dont elle avait transformé Clovis, fût-ce pour quelques brefs instants, m'était apparue comme le plus merveilleux de ses miracles.

Puis le vieil homme marmonna qu'il fallait rentrer, maintenant, et, tout en se dirigeant vers le monastère de Marmoutier, il précisa que Clovis et Clotilde étaient revenus à plusieurs reprises prier sur la tombe de Geneviève.

— C'était devenu un lieu de pèlerinage, dit-il en hochant la tête. On avait élevé un oratoire en bois sous lequel se pressaient les croyants.

Parthénius s'arrêta et m'empoigna le bras comme pour mieux me convaincre.

— Au bout de quelques jours, on ne parlait plus dans la cité que des miracles qui se produisaient sur la tombe de Geneviève. Un enfant mort, que sa mère avait déposé sur la tombe, s'était relevé et avait couru jusqu'à la Seine...

Le vieillard leva haut les bras et je ne sus s'il voulait ainsi marquer son étonnement ou souligner les pouvoirs de la sainte.

Un matin, m'expliqua-t-il, il était retourné en compagnie de Clovis et de Clotilde à l'oratoire, mais aucun des fidèles n'avait d'abord remarqué la présence des souverains.

— Les pèlerins priaient, chantaient des cantiques. Les uns avançaient à genoux vers la tombe, d'autres, boiteux, difformes, étaient soutenus par des parents. Il y avait aussi quelques énergumènes, l'écume à la bouche, les yeux exorbités, dont on avait lié les membres et qui hurlaient en s'approchant de l'oratoire.

« Clovis et Clotilde étaient restés à distance, entourés de leurs gardes.

« Le roi m'était apparu aussi ému qu'au jour de l'inhumation. Tout à coup, il avança à grands pas vers la foule, et les pèlerins, l'ayant alors reconnu, implorèrent sa protection et sa bénédiction comme s'il était un homme d'Église. Il tendit les mains et, par ce simple geste, obtint le silence ; même les énergumènes s'étaient tus.

« Clotilde le rejoignit alors et Clovis, la prenant par la main, dit qu'il avait décidé de construire en ce lieu, sur ce mont Lucotecius, une basilique qui abriterait la tombe de Geneviève, et, plus tard, quand Dieu le déciderait, celles des souverains du peuple des Francs saliens.

« Il demanda à ses gardes de faire écarter la foule. Puis, se saisissant d'une francisque, jambes écartées, il la fit tournoyer au-dessus de sa tête en tenant le manche de la hache à deux mains.

« Je sentis à cet instant que la terreur s'était emparée des pèlerins et j'en fus moi-même saisi, fasciné par le mouvement sifflant de l'arme qui tournoya et brusquement fendit l'air, lancée si fort que je ne pus la suivre des yeux.

« Elle s'était profondément enfoncée dans le sol au-delà de l'oratoire de Geneviève, au milieu des champs, au sommet de la colline. Cette terre-là, désormais, était possession du roi et c'est là qu'il bâtirait la basilique où Geneviève, puis lui-même et Clotilde reposeraient.

« Je le regardai s'éloigner, poursuivit Parthénius après un silence. Il arpenta à longues enjambées la terre herbeuse, traçant ainsi le périmètre de la basilique. En le voyant ainsi, sa chevelure blonde tombant sur ses épaules, escorté par les antrustions de sa garde, je me suis souvenu du dieu païen Thor qui lançait le marteau de sa foudre sur la terre et s'emparait des lieux que les flammes avaient touchés.

Parthénius s'immobilisa sur la première marche de l'escalier taillé dans la falaise.

— Le roi païen était encore vif dans le corps du roi chrétien ! s'exclama-t-il.

Il entama l'ascension.

La falaise réfléchissait la lumière à peine moins blanche du soleil. Parfois, cependant, des nuages bas l'effaçaient et on aurait pu croire que la nuit allait revenir, la pluie tomber.

Quand nous nous arrêtâmes sur l'un des paliers aménagés dans la roche, il y eut même une rafale courte et violente qui fit chanceler le vieil homme.

Je me précipitai, le retenant par les épaules, mais il se dégagea.

— Si Dieu le veut, marmonna-t-il.

Puis, reprenant son ascension, il ajouta :

— *Nobiscum Deus*, Dieu avec nous !

Huitième partie

24.

— Geneviève est morte comme un oiseau, murmura Parthénius.

Tassé sur lui-même, il s'était assis sur le tabouret, les coudes appuyés sur les genoux, les doigts soutenant son front, les paumes cachant ses yeux.

— Geneviève, reprit-il de la même voix sourde, avait conseillé Clovis, prié, prêché, gouverné, elle s'était dévouée, distribuant du grain aux plus miséreux, soignant les lépreux. Elle avait paru infatigable jusqu'à son dernier battement d'ailes.

Parthénius toussota, laissant baller sa tête, le menton frottant sa poitrine.

— Comme un oiseau, répéta-t-il.

Lui-même paraissait épuisé par la longue marche que nous avions effectuée durant toute la matinée au bord de la Loire, montant et descendant ces vagues de sable blanc, ces talus et ces berges auxquels s'accrochaient buissons et roseaux.

Je me reprochai de l'avoir contraint depuis plusieurs jours à me parler, à fouiller sa mémoire, à brûler son énergie dans le feu vif d'une passion retrouvée au lieu de laisser les braises de sa vie se consumer lentement, longtemps.

Tout à coup, je me pris à penser que j'avais bouleversé son existence, tisonnant ses cendres, soufflant sur ce foyer à demi éteint, avide que j'étais de savoir, soucieux de transmettre à ceux qui nous succéderaient l'histoire de Clovis et des chrétiens de son temps.

Mais peut-être, agissant ainsi, avais-je tailladé dans la vie de Parthénius, dont j'avais oublié l'âge tant sa voix et son attitude n'étaient plus celles d'un vieillard, mais d'un homme encore en pleine vigueur.

Pourtant, il pouvait s'enliser soudain dans la décrépitude et apparaître dans la grise vérité de son âge.

Mais quel âge avait-il au juste ?

Il semblait avoir tout vécu, avoir été témoin de l'inhumation de Childéric, mais avoir aussi porté en terre Geneviève, morte à plus de quatre-vingts ans !

Jamais je n'avais osé l'interroger à ce propos et il me sembla qu'il entretenait à dessein l'incertitude, comme si sa vie avait déjà été si longue qu'il en oubliait l'origine.

Il m'avait dit à plusieurs reprises qu'il aspirait à rejoindre le royaume des cieux, mais que Dieu le maintenait en notre monde, peut-être pour le châtier.

Pourtant, il avait parfois de tels regains de vitalité qu'il me paraissait au contraire arrimé à notre vie avec une énergie et une volonté confondantes.

Peut-être ses moments de silence et d'enlisement n'étaient-ils qu'une façon de reprendre force afin de vivre encore assez pour raconter ce qu'il avait vécu ?

— Geneviève avait tout donné d'elle, jusqu'à son dernier battement d'ailes. Tout à coup, après sa mort, le ciel avait paru vide...

Parthénius se redressa ; une nouvelle fois, je sentais qu'il s'était extirpé du marécage de la fatigue et de l'amnésie.

— L'émotion de Clovis telle que je l'avais constatée devant l'oratoire, puis sa détermination quand il avait lancé sa hache pour s'approprier le sol sur lequel il érigerait la basilique, s'enracinaient dans le sentiment qu'il venait de perdre celle qui lui avait maintes fois indiqué la route à suivre. En décidant d'en faire un lieu de pèlerinage, il voulait pouvoir venir lui-même sur le tombeau de Geneviève, s'inspirer des signes que révéleraient ses reliques.

Parthénius leva la tête ; la fatigue semblait l'avoir quitté.

— Geneviève était comme ces oiseaux dont les Romains scrutaient l'envol pour connaître l'avenir.

Il croisa les bras, les yeux clos.

— Avant de mourir, avait-elle conseillé à Clovis d'arracher Tours, la ville de Martin, aux mains des hérétiques ? Avait-elle voulu que les armées franques attaquent le royaume wisigoth ?

Parthénius écarta les bras.

— Qui peut savoir ? Toujours est-il que Clovis est allé à plusieurs reprises se recueillir sur sa tombe comme s'il espérait recueillir d'elle un avis, un signe. Et Clotilde, chaque fois, l'accompagna.

Le vieil homme secoua la tête et murmura d'un ton méditatif :

— Geneviève et Clotilde : les deux chrétiennes résolues, les deux colombes bénéfiques qui ont accompagné Clovis autant qu'elles l'ont pu, qui l'ont guidé vers le baptistère, puis vers les victoires.

Il s'arrêta, comme hésitant, puis répéta :

— Car ce fut une victoire, la plus grande, que celle qui mit fin au royaume des Wisigoths, dans le sud de la Gaule, cette province d'Aquitaine qui faisait rêver tous ceux qui l'avaient parcourue.

Parthénius me considéra longuement en silence, puis, sur un ton presque provocant, il ajouta :

— J'étais de ceux-là.

Il me raconta ses voyages en Aquitaine dans les cités florissantes de Poitiers, Bordeaux, Toulouse, et, plus loin à l'est, jusqu'en Arles, peut-être la plus belle avec ses grandes constructions romaines et cet évêque, Césaire, persécuté par les Wisigoths parce qu'il refusait de renier sa foi catholique et de rallier l'hérésie arienne.

Il me décrivit les riches villas dans la campagne ordonnée comme le serait un jardin, la douceur du climat, la distinction des grandes familles gallo-romaines férues de philosophie et d'histoire, passant avec aisance du latin au grec, récitant les poètes.

Elles ignoraient les rois wisigoths, d'abord Euric, puis Alaric. Elles s'indignaient du saccage des églises et des sanctuaires chrétiens par ces barbares ariens, des violences perpétrées à l'encontre des évêques ; elles méprisaient l'arianisme qu'elles appelaient la « foi barbare », la « foi gothique ». Elles vénéraient un évêque de Carthage, Eugène, que les Vandales avaient chassé de son pays et qui, à son arrivée en Aquitaine, avait de nouveau été persécuté par les Wisigoths.

D'une voix tremblante d'enthousiasme et d'émotion, comme s'il venait d'en avoir la révélation, Parthénius me répéta que, à travers tout le royaume wisigoth, la nouvelle du baptême de Clovis dans la foi catholique avait été accueillie comme l'annonce d'une délivrance prochaine.

— Beaucoup désiraient avec ardeur avoir le roi des Francs saliens pour maître. Contre cette espérance et, cette volonté, que pouvait le roi des Wisigoths ?

Alaric avait tenté de reconquérir l'estime des chrétiens de son royaume en autorisant la tenue en Arles d'un concile, le 10 septembre 506. Il avait promulgué un ensemble de lois — le « Bréviaire d'Alaric » — mettant fin à la persécution. Mais trop tard.

Parthénius ajouta, entrelaçant ses doigts :

— Quand un corps est depuis longtemps rongé par la lèpre, tout effort pour empêcher l'aggravation de la maladie concourt au contraire à la répandre. Alaric avait tenté de convaincre et de séduire, mais, aux yeux des chrétiens, il ne faisait qu'avouer, ce faisant, sa faiblesse et le remords que lui causait sa politique passée. Il voulait se sauver et se condamnait. Il espérait se faire aimer mais se faisait haïr davantage. Vient un moment où tout acte dans un sens ou dans l'autre est néfaste. Plus rien ne pouvait sauver Alaric.

Pourtant, depuis sa résidence de Ravenne, Théodoric le Grand, roi des Ostrogoths, voulait empêcher une confrontation entre Francs et Wisigoths que tout laissait augurer.

— Dans le palais qu'occupaient sur la rive gauche Clovis et Clotilde, dit Parthénius, j'ai vu arriver les ambassadeurs ostrogoths chargés de remettre au roi des Francs une lettre l'exhortant à ne pas pénétrer dans le royaume wisigoth. Ces ambassadeurs avaient déjà porté d'autres missives à Gondebaud, roi des Burgondes, et à Alaric, pour les inciter eux aussi à rechercher la paix.

« Mais des lettres peuvent-elles enrayer une avalanche ?

« Clovis avait écouté les ambassadeurs, puis, d'un geste, les avait renvoyés. Il avait reçu quelques intants plus tard ceux qui arrivaient de Byzance et qui, au nom de l'empereur Anastase, incitaient au contraire Clovis à agir contre les Wisigoths, annonçant même que les troupes impériales attaqueraient l'Italie de Théodoric pour l'empêcher de se porter au secours d'Alaric...

Parthénius sourit, le visage tout à coup rajeuni.

— C'était comme si Dieu avait envoyé un signe, offrant ainsi à Clovis, par cette alliance avec l'empereur Anastase, l'occasion de vaincre le royaume des Wisigoths.

Le vieil homme leva les bras au ciel.

— Quel roi aurait pu résister à la tentation de conquérir Bordeaux et Toulouse, de s'emparer du fabuleux trésor des Wisigoths, rassemblant tout ce que les barbares avaient jadis pillé à Rome ?

Il laissa retomber ses bras.

— Quel chrétien aurait pu se dérober au devoir de libérer ses frères d'Aquitaine, ceux qu'Alaric persécutait ? Quel fidèle aurait pu renoncer à sa mission de vaincre l'hérésie ?

« Clovis massa donc ses troupes sur la rive droite de la Loire. De là, il apercevait les toits de Tours, la basilique où reposait le corps de Martin.

« Quel chrétien aurait pu refuser de chasser les hérétiques de la ville de saint Martin ?

Plus tard, alors que Parthénius sommeillait, je lus la lettre que les ambassadeurs de Théodoric le Grand avaient apportée à Clovis. Elle était habile, et mettait le roi franc en garde contre l'empereur Anastase :

Je vous exhorte comme j'ai exhorté Alaric : ne laissez pas la malignité d'autrui semer la zizanie entre vous et lui. Permettez à vos amis communs de régler à l'amiable vos différends, et rapportez-vous à eux de vos intérêts. Celui-là n'est certes pas un bon conseiller qui veut entraîner l'un ou l'autre dans la ruine.

— Tu lis ? s'enquit Parthénius en se retournant sur sa couchette. N'oublie pas que Théodoric est l'époux d'Audoflède, la sœur de Clovis, et vois comme il ne manque pas de rappeler ce détail !

Parthénius récita de mémoire le début de la lettre :

— *La Providence a voulu nouer des liens de parenté entre les rois afin que leurs relations amicales aient pour résultat la paix des nations. Je m'étonne donc que vous vous laissiez émouvoir par des motifs frivoles, jusqu'à vouloir vous engager dans un violent conflit avec notre Alaric, époux de notre fille Théodegothe, et donc notre fils.*

D'un geste, le vieillard me demanda de continuer à lire, tout en ajoutant :

— Je veux entendre encore cette lettre pleine de conseils, mais aussi de menaces !

Je lus :

— *Jeunes tous les deux, et tous les deux à la tête de florissantes nations, craignez de porter un rude coup à vos royaumes et de prendre sur vous la responsabilité des catastrophes que vous allez attirer sur vos patries.*

Laissez-moi vous le dire en toute franchise et affection : c'est trop de fougue de courir aux armes dès les premières explications... Je ne veux pas d'une lutte d'où l'un de vous peut sortir écrasé ; jetez ces armes que vous tournez en réalité contre moi ! Je vous parle comme un père et comme un ami : celui de vous qui mépriserait mes exhortations doit savoir qu'il aura à compter avec moi et avec tous mes alliés.

Parthénius s'exclama en se redressant :

— Quels alliés ? Gondebaud le Burgonde et son fils Sigismond s'étaient ralliés à Clovis pour prendre part à la curée contre le royaume wisigoth. Quel roi et quel chrétien eût été Clovis s'il avait prêté l'oreille aux conseils de l'ambitieux et hérétique Théodoric ?

« La guerre était là, et j'ai vu Clovis prendre la tête de son armée, passer la Loire à gué, le poitrail de son cheval blanc fendant les eaux noires du fleuve.

25.

— Je n'ai pour ainsi dire pas quitté Clovis des yeux durant toute la guerre contre les Wisigoths, précisa Parthénius.

Nous étions assis épaule contre épaule sur la plate-forme rocheuse, le dos appuyé à la falaise. En cette matinée d'hiver limpide et glacée, le soleil était aveuglant ; sa lumière réfléchie par la roche blanche donnait une impression de chaleur.

Parthénius, qui d'ordinaire craignait le froid, avait retroussé les manches de sa tunique, faisant apparaître ses longs et maigres avant-bras dont la peau jaunie pendait, comme prête à se détacher de l'os, pareille à un lambeau d'étoffe fripé.

Je détournai le regard mais, heureusement, la voix du vieillard se fit vigoureuse. Ses phrases claquaient comme des bannières dans le vent d'une charge de cavaliers. Jamais je ne l'avais entendu parler avec si peu d'humilité, comme emporté par la chevauchée victorieuse qui avait conduit Clovis des bords de la Loire jusqu'à Toulouse et Bordeaux, et même jusqu'en Gascogne, faisant de lui le roi qui avait changé le sort de la Gaule, et donc l'histoire de tout l'Occident.

— Clotilde m'avait demandé de veiller en personne sur Clovis, reprit Parthénius. À la veille du départ de l'armée, elle m'avait convoqué ; elle avait saisi mes poignets et m'avait fixé avec une intensité telle que mes yeux étaient restés rivés aux siens, et que, l'eussé-je voulu, j'aurais été incapable de les baisser. Elle m'avait dit :

« — C'est par tes yeux que je suivrai le roi là où il sera. C'est par toi, par tes prières que je le protégerai et que Dieu veillera sur lui. Je veux que, s'il est menacé, tu le sois avant lui, et que, si une hache le frappe, elle t'ait d'abord fendu en deux !

« J'ai donc chevauché aux côtés de Clovis sans jamais le perdre de vue. Et je me souviens de chacune des paroles qu'il a prononcées.

« Après avoir longé la rive droite du fleuve en empruntant la voie romaine, au moment où nous avons franchi la Loire dans les environs d'Amboise, je l'ai entendu crier en se tournant vers les soldats de sa garde :

« — Je ne puis supporter l'idée que ces hérétiques, ces maléfiques, ces ariens occupent une bonne partie de la Gaule. Marchons donc contre eux, et, après les avoir battus, soumettons leur terre à notre autorité !

« Les acclamations et les cris qui saluèrent ces paroles me font encore trembler au bout de tant d'années.

« Je revois ces lances, ces francisques levées, j'entends les hennissements des chevaux que leurs cavaliers armoricains poussent dans le fleuve. J'aperçois Thierry, le fils aîné de Clovis, qui chevauche devant les antrustions. Le soir venu, j'écoute le messager de Gondebaud qui annonce que les Burgondes, ayant à leur tête leur roi et son fils Sigismond, sont entrés en campagne, qu'ils marchent vers l'Aquitaine en traversant le Limousin. Avitus, l'évêque de Vienne, leur a dit :

« — Partez heureux et revenez vainqueurs ! Gravez votre foi sur vos armes, rappelez à vos soldats les promesses divines, et par vos prières forcez le Ciel à vous venir en aide !

Sans doute Parthénius perçut-il mon étonnement : Gondebaud était arien ; pourquoi combattait-il Alaric, le souverain wisigoth, hérétique comme lui ? Pourquoi, ce faisant, prenait-il le risque de mécontenter Théodoric le Grand, roi ostrogoth d'Italie ?

— L'intérêt commande, expliqua le vieil homme. Gondebaud et Sigismond voulaient leur part de butin et le trésor des Wisigoths était considérable, si fabuleux qu'on prétendait qu'il recelait les bijoux du roi Salomon, volés par les Romains après la prise de Jérusalem par Titus, et pillés à Rome par les Goths ! On disait que les objets qu'il contenait, fruit de toutes les rapines gothiques, étaient si beaux que le roi des Wisigoths se rendait chaque jour dans les salles où ce trésor était conservé pour admirer les émeraudes et les coupes serties de diamants, les sculptures et les coffres remplis de monnaies d'or en provenance de tous les pays de l'univers.

« Voilà ce dont rêvaient Gondebaud et son fils Sigismond. Leur avidité leur avait fait oublier leur foi arienne, et l'évêque Avitus les avait habilement persuadés de s'allier à Clovis. Lui, le prélat catholique, n'avait plus eu qu'à bénir leurs glaives et leurs javelots !

Parthénius me tapota le genou de ses doigts osseux, ajoutant d'une voix guillerette :

— Peu importe l'artisan du dessein du Seigneur dès lors qu'il aide à le réaliser...

Puis il se leva et retourna s'appuyer, ainsi qu'il aimait le faire, aux rochers qui fermaient la plate-forme. Il me faisait face, mais, ébloui par le soleil, je ne distinguais que sa silhouette, et, au son de sa voix, j'aurais pu croire avoir affaire à un homme dans la force de la maturité, non à un vieillard piétinant au seuil de la mort.

— La Loire traversée, nous entrâmes dans le royaume wisigoth, mais — la voix de Parthénius s'était faite encore plus forte — cette contrée était déjà nôtre par la foi. Tours était la ville de Martin. Poitiers, celle de saint Hilaire qui avait été son maître, avait depuis toujours combattu les ariens et avait pour cela souffert la persécution. Les campagnes autour de ces deux villes avaient été parcourues par Martin et les moines de Marmoutier, ceux de ce monastère où je vis.

« Clovis s'arrêta dès qu'il eut pris pied sur cette rive gauche de la Loire et dit :

« — Comment pourrons-nous espérer vaincre si nous offensons saint Martin ?

« Il parcourut les rangs de son armée, clamant qu'il prenait un édit stipulant que, par respect pour la mémoire de saint Martin, nul ne s'emparerait d'aucun aliment aux dépens de cette région, hormis l'herbe et l'eau. Et les pillards seraient punis de mort.

« Dans les heures qui suivirent, un soldat qui s'était approprié du foin pour son cheval fut conduit devant Clovis qui le fit agenouiller et lui répéta l'édit : « Herbe et non foin coupé. »

« Et, avant même que l'homme pût s'expliquer, sa tête, tranchée de la main de Clovis, n'était plus qu'une boule rouge roulant sur la terre tourangelle.

Parthénius se tut, le corps projeté en avant comme s'il voulait voir rouler cette tête. Puis il se redressa, reprenant son récit d'une voix claire :

— C'est moi, dit-il, qui, sous la dictée de Clovis, ai écrit, la première nuit que nous passâmes dans le royaume wisigoth, une lettre du roi aux évêques les assurant de la protection des Francs :

« Nous ordonnons que personne ne tente d'enlever les moniales et les veuves dévouées au service du Seigneur…

« Tous ceux qui servaient les églises devaient être aussi protégés, et libérés si quelqu'un s'était emparé d'eux. Les évêques pouvaient demander qu'on relâchât toute personne, tant parmi les clercs que chez les laïcs, qui leur paraissent digne de leur protection. Et Clovis demandait aux saints pères de prier pour lui.

Parthénius s'avança vers moi comme pour m'interpeller.

— La guerre contre l'hérésie des Goths constituait, en fait, le vrai baptême de Clovis. Elle le couronnait roi chrétien. Et lui-même le voulait ainsi, recherchant la bienveillance des saints.

« Je ne me suis éloigné de lui qu'une seule journée, à sa demande, quand, avec deux autres clercs, escortés d'une petite troupe, nous fûmes chargés de nous rendre dans la basilique de saint Martin, à Tours, pour déposer des présents sur sa tombe. À l'instant où nous pénétrions dans la basilique, le chœur a entonné le psaume XVIII, et j'ai reconnu ces mots : *Seigneur, vous m'avez armé de courage pour les combats, vous avez renversé à mes pieds ceux qui se dressaient contre moi, vous m'avez livré les dos de mes ennemis et vous avez dispersé ceux qui me poursuivent de leur haine...*

« Dieu, par la voix de ce chœur et par le choix de ce psaume, envoyait un signe à Clovis depuis la basilique de saint Martin.

« Quand je lui ai rapporté ces paroles, il s'est signé, puis, levant le bras, il s'est engagé dans la vallée de la Vienne en direction de Poitiers, la cité de saint Hilaire, non loin de laquelle Alaric, dans la plaine de Vouillé, avait rassemblé son armée.

« Mais il fallait encore franchir la Vienne et les Wisigoths avaient détruit tous les ponts, cependant que de fortes pluies avaient grossi le fleuve de tourbillons noirâtres. Tout à coup — de mes yeux je l'ai vue —, une biche a bondi devant nous, entrant dans la rivière, dévoilant ainsi un gué, nous montrant le chemin qu'il fallait emprunter...

« Dieu — comment aurais-je pu encore en douter ? — avait choisi Clovis pour accomplir Son dessein.

Parthénius se mit à parler d'une voix de plus en plus exaltée. Eussé-je voulu l'interrompre qu'il ne m'aurait point entendu, tant il était entraîné par son récit

Il décrivit comment l'armée franque avait établi, un soir, son camp à l'entrée de la plaine de Vouillé au bout de laquelle on apercevait les avant-postes d'Alaric.

Les murailles de la ville de Poitiers dominaient au loin cette étendue où se déroulerait, le lendemain, la bataille qui déciderait du sort de la vraie foi en Gaule, donc du destin de ce pays.

Parthénius reprit son souffle.

— C'était une nuit d'été, poursuivit-il presque aussitôt. Le ciel était illuminé d'une myriade d'étoiles et je guettais celles qui, traversant la voûte céleste, se perdraient dans l'infini comme un fugitif signe de Dieu.

« Tout à coup, j'ai senti que Clovis était sorti de sa tente. Je me suis retourné et je l'ai vu, jambes écartées, mains appuyées aux deux lames de sa francisque. Sa silhouette se découpait, immense, sur l'horizon. Il avait la tête levée, paraissant observer lui aussi le mouvement des étoiles, et, brusquement, le ciel s'est éclairé d'une lueur intense : un phare de feu qui paraissait jaillir du clocher de la basilique où reposait, à quelques centaines de pas des murailles de Poitiers, le corps de l'évêque saint Hilaire.

« L'immense lueur avait même semblé se diriger comme un grand fleuve brillant vers Clovis, inondant le camp de l'armée franque d'éclats scintillants.

« J'ai crié *Nobiscum Deus !* Dieu avec nous ! — et j'ai vu Clovis lever sa francisque, et tous les soldats l'ont imité, mêlant leurs voix à la mienne, sûrs comme je l'étais que, par ce signal, Dieu annonçait qu'il allait combattre aux côtés des Francs, devenus ses soldats de la foi comme saint Martin et Hilaire de Poitiers l'avaient été.

« Qui aurait pu trouver le sommeil, après cela ?

« J'ai vu Clovis arpenter le camp, entouré de sa garde. Les soldats l'acclamaient.

« Puis, à l'aube, de sa main il a caressé, avant de le monter, son cheval blanc. Près de lui, son fils aîné Thierry.

« Je me suis joint aux cavaliers de sa garde et nous nous sommes élancés dans la plaine.

« Devant nous, la lumière du soleil levant se réfléchissait sur les casques et les armes des guerriers d'Alaric dont l'armée avait déjà commencé à se déployer.

« Et puis ce furent les jets de lances, les cris, les charges, les fantassins qui s'affrontaient cependant que les cavaliers, par vagues successives imitant le flux et le reflux de la mer, s'élançaient et reculaient.

« Tout à coup, dans la rumeur de la bataille, il y eut comme un trou de silence, et l'on entendit le choc d'une hache et d'un glaive sur deux boucliers.

« Au milieu de leurs guerriers, Clovis et Alaric se battaient.

« J'ai vu la hache de Clovis frapper le roi wisigoth à la base du cou. Le sang a jailli et le corps d'Alaric s'est couché sur son cheval.

« Des cris aigus puis rageurs retentirent, couvrant de leur désespoir les acclamations des guerriers francs.

« Deux guerriers wisigoths se précipitèrent, l'un sur la droite de Clovis, l'autre sur sa gauche, épées levées.

« Le cheval du roi franc, un destrier au large poitrail, se dressa, bousculant les assaillants, et Clovis arrêta leurs épées de son bouclier, puis les antrustions de sa garde accoururent, mettant les Wisigoths en déroute.

« J'ai regardé autour de moi le champ de bataille.

« J'ai aperçu des guerriers ennemis qui formaient comme une carapace autour d'un enfant, Amalaric, le fils d'Alaric, l'entraînant au loin, l'arrachant à la mort, car qui aurait pu arrêter la hache d'un soldat franc décidé à trancher la lignée royale du camp adverse ?

« J'ai vu aussi ces corps enchevêtrés, ces morts si nombreux qu'ils formaient dans la plaine des monticules autour desquels commençaient à rôder les chiens.

« C'était la victoire de Clovis, le roi chrétien, et de son peuple ; le triomphe de la vraie foi sur l'hérésie.

Épuisé, me semblait-il, Parthénius avait baissé la tête.

Mais quand je voulus lui conseiller de rentrer dans la grotte afin de s'y reposer, il se redressa et se remit à parler d'une voix à peine plus lasse :

— J'étais aux côtés de Clovis quand il s'est prosterné devant le tombeau de saint Hilaire ; les guerriers qui l'escortaient se sont agenouillés dans la nef de la basilique. Dieu avait ainsi ployé les nuques de ces païens et avait fait de ces barbares des soldats de la vraie foi. La bataille de Vouillé scellait bien la défaite de l'hérésie.

« Puis nous sommes entrés dans la ville de Poitiers au milieu des acclamations. Les chrétiens reconnaissaient leur roi.

Parthénius entreprit d'aller et venir d'une extrémité à l'autre de la plate-forme, passant devant moi sans m'accorder un regard, en proie, eût-on dit, à une vive émotion.

— Il y avait cet entassement de morts dans la plaine de Vouillé, et quand, avec l'armée, nous sommes repassés sur les lieux de la bataille, les cadavres avaient déjà été lacérés par les chiens et les corbeaux, et la puanteur était telle que toute la troupe accéléra sa marche, les cavaliers galopant, les fantassins prenant le pas de course.

« Notre victoire se traduisait aussi par cela, et par ces bandes de pillards qui, malgré leur conversion, pillaient leurs comportements barbares. Ils pillaient les masures des paysans, violaient les femmes, allèrent même jusqu'à défoncer la porte d'un monastère érigé sur les bords d'une rivière, la Sèvre niortaise, par un religieux venu de Gaule du Sud, Maixent. Ils avaient tiré ce saint homme hors de sa cellule, l'avaient maltraité, mais, à l'instant où l'un de ces soldats dévoyés s'apprêtait à lui fracasser le crâne, son bras criminel s'était paralysé...

Parthénius soupira.

— Mais, pour un miracle, pour un monastère qui échappait au pillage, pour un homme saint dont la vie fut sauvée, combien de victimes, d'églises saccagées malgré les édits de Clovis et le châtiment qu'il infligeait aux pillards : la mort, la mort sans jugement ! Chevauchant de Poitiers à Toulouse et de cette cité à Bordeaux, j'ai vu la fumée des incendies s'élever partout dans la campagne comme pour marquer notre passage. Et Toulouse a été détruite par les flammes.

Le vieil homme se prit la tête à deux mains.

— Ainsi s'est faite la conquête du royaume wisigoth ; ainsi se font toutes choses humaines, quand le démon guette, sur les pas de Dieu, pour bondir sitôt qu'il le peut.

Parthénius se tourna vers l'horizon.

— Comme Clotilde me l'avait demandé, je suis resté auprès de Clovis durant cette marche, puis pendant tout l'hiver que nous avons passé à Bordeaux.

« J'ai vu le fabuleux trésor des Wisigoths que l'on entassait dans des coffres afin de le transporter jusqu'à Paris.

« J'ai écouté Clovis prêcher la réconciliation des Wisigoths et des Francs, féliciter Sigismond le Burgonde de ses conquêtes en Limousin et en Aquitaine.

« Je l'ai entendu ordonner à son fils Thierry de prendre possession des hautes terres qui, au centre de la Gaule, en Auvergne et en Velay, dominent la vallée du Rhône et le royaume burgonde. Car les alliés de circonstance restent des rivaux.

« Puis nous avons quitté Bordeaux et conquis de nouvelles villes : Saintes, Bourges, Angoulême. Il a fallu à nouveau se battre, renverser des murailles, voir les morts recouvrir les morts...

Parthénius avait écarté les bras et sa silhouette, à contre-jour, dessinait sur l'horizon une croix.

— Mais c'est à ce prix que la Gaule a été unifiée, conclut-il. De la mort jaillit la vie, et le Christ est ressuscité !

26.

— J'ai vu Clovis en gloire, reprit Parthénius. C'était à Tours. Nous arrivions d'Aquitaine avec nos chariots chargés du trésor des Wisigoths et de tout ce que les soldats avaient pillé à Carcassonne, Bordeaux, Saintes, Angoulême, qu'ils avaient entassé en désordre au-dessus des coffres.

« Clovis avait fait arrêter l'armée à l'entrée de la ville, non loin de la basilique vouée à saint Martin.

Avec son index, Parthénius traça dans la poussière couvrant la petite table un rectangle dont l'un des côtés se prolongeait par une abside en hémicycle.

— La foule des croyants attendait Clovis dans l'atrium. C'était une cour carrée qui servait de vestibule à la basilique. Les pèlerins y dormaient dans de petites cellules ouvertes sur les côtés. Sous les portiques, des marchands avaient disposé leurs étals.

« Dès que Clovis apparut, la foule l'entoura.

« Elle voulait le toucher.

« Elle implorait sa bénédiction comme s'il était un saint.

« Il a fait décharger de nombreux objets d'or et d'argent. Au milieu des acclamations, il a dit qu'il allait offrir tous ces présents à la basilique de saint Martin, et même faire don de son cheval pour les pauvres. Il ajouta qu'il le rachèterait aussitôt et, de fait, en offrit cent pièces d'or. Mais quelqu'un dans la foule cria qu'il fallait en donner le double. Il jeta une nouvelle bourse en disant avec le sourire, assez fort pour que tous l'entendent :

« — Saint Martin est de bon secours, mais un peu cher en affaires !

« On l'acclama de nouveau, puis il pénétra dans l'église et s'agenouilla devant le tombeau de Martin.

Joignant les mains, Parthénius ajouta dans un murmure :

— J'ai prié avec lui.

Après quelques instants de silence, il reprit le cours de son récit :

— Quand Clovis a quitté la basilique, la foule était plus dense encore. Comme il avançait pour rejoindre l'armée, j'ai vu venir à notre rencontre trois hommes vêtus de blanc, enveloppés dans de grands manteaux à parements de fourrure.

« L'un tenait un coffre, l'autre un parchemin ; le dernier portait sur le bras un manteau pourpre.

« La foule s'est écartée pour leur laisser le passage.

« C'étaient trois ambassadeurs de l'empereur de Byzance, Anastase, chargés de remettre à Clovis le parchemin faisant de lui un consul et un Auguste, une sorte de vice-empereur.

« Lorsqu'ils ont ouvert le coffre, j'ai aperçu un diadème d'or garni de pierres précieuses, signe de cette distinction impériale accordée à Clovis par l'empereur. Le dernier ambassadeur tendit à Clovis la tunique pourpre et ce manteau court et fendu qu'on appelle chlamyde. Telles étaient la gloire et l'autorité que conférait à Clovis sa victoire sur les Wisigoths : l'empereur Anastase sacrait le vainqueur de Théodoric le Grand.

Parthénius eut un ample geste du bras droit, comme s'il enveloppait ses propres épaules de la rouge chlamyde de consul et d'Auguste.

— J'ai vu Clovis en gloire. Il avait vaincu. Il n'y avait plus de Wisigoths. Les uns étaient devenus de la chair morte pour chiens errants et oiseaux rapaces ; les autres s'étaient enfuis par-delà les Pyrénées. Et ceux qui n'avaient pas été exterminés ou chassés avaient rejoint la vraie foi, oubliant l'hérésie, jurant qu'ils cessaient d'être des Wisigoths pour devenir des sujets de Clovis et faire ainsi partie du peuple des Francs. La Gaule était unie.

Parthénius se signa.

— J'ai vu Clovis en gloire, répéta-t-il pour la troisième fois. Clovis avait agrafé à son épaule la chlamyde. Dans ce manteau rouge, il était vraiment Auguste, arborant le vêtement de consul.

« Il parcourut toute la ville de la basilique jusqu'à la cathédrale Saint-Gatien au milieu des acclamations, lançant à la foule des pièces d'or et d'argent.

« Son armée le suivait. Ce triomphe faisait de lui le consul de l'empereur, un roi franc et chrétien qui était aussi magistrat de l'Empire.

« Le peuple criait sa joie, se jetant entre les sabots du cheval pour ramasser les pièces que Clovis lançait.

Parthénius ferma les yeux comme pour garder par-devers lui le souvenir de ces instants passés.

— Après cela, reprit-il, qui aurait osé s'opposer à lui ? Les uns par le baptême, l'autre par cette distinction consulaire, les évêques et l'empereur de Byzance l'avaient reconnu comme le plus grand des souverains d'Occident, le seul roi chrétien de la vraie foi.

Parthénius se leva en grimaçant, les yeux toujours clos.

Il semblait souffrir et se mit à marcher dans la grotte, les mains sur les reins, comme s'il voulait comprimer une douleur.

Je l'interrogeai : avait-il besoin de mon aide ?

Mais il secoua nerveusement la tête, disant que c'était la vieillesse qui se rappelait à lui. Les années étaient comme un glaive qui s'enfonçait peu à peu dans le corps. Seule la prière pouvait faire reculer la souffrance, la dissoudre dans l'espoir d'une autre vie.

Puis Parthénius rouvrit les yeux. Il soupira et expliqua que raconter les années passées lui avait fait oublier qu'il se trouvait à ce moment de la vie où seule la volonté mystérieuse de Dieu retient encore un homme dans le monde des vivants.

Il se rassit, les mains toujours soudées à ses reins.

— Donc, poursuivit-il, j'ai vu Clovis le front ceint du diadème, les épaules enveloppées du manteau pourpre, de cette chlamyde impériale désignant un consul et un Auguste.

« J'ai vu comment ce morceau d'étoffe, ce cercle d'or enserrant sa tête changeaient son attitude.

« Il se tenait encore plus raide, le menton levé, ne paraissant plus voir cette foule qui l'entourait et à laquelle il continuait de jeter des pièces d'or et d'argent.

« J'ai pensé qu'il était désormais si haut au-dessus des hommes qu'il deviendrait inaccessible au sentiment commun.

« Il n'obéirait plus qu'à d'autres lois, celles des rois, des empereurs, des maîtres du monde.

Dans un mouvement de lassitude, le vieil homme laissa retomber sa tête sur sa poitrine.

— Seul Dieu pouvait désormais comprendre et juger ses actes…, ajouta-t-il.

Puis il raconta que Clovis ne s'était pas attardé à Tours, mais avait décidé de regagner promptement Paris dont il avait choisi de faire sa capitale.

— Il avait ordonné à des messagers de précéder l'armée afin de prévenir Clotilde. Le palais, sur la rive gauche de la Seine, devait être préparé pour l'accueillir. C'est là qu'il voulait séjourner à demeure.

Parthénius resta quelques instants silencieux, puis reprit :

— J'ai d'abord pensé ne pas l'y suivre et vivre en ermite dans ce monastère de Marmoutier, mais il m'a suffi d'un regard du souverain, lorsque j'ai commencé à exprimer mon souhait de me retirer du monde, pour comprendre qu'il me faudrait rester auprès de lui.

« J'ai donc pris la route, chevauchant en tête de l'armée aux côtés des soldats de sa garde.

Parthénius fut pris d'un long accès de toux. Il me parut épuisé et je lui conseillai de se reposer et de ne reprendre son récit que le lendemain matin. Il feignit de ne pas m'entendre.

— Nous sommes rentrés à Paris par la grande voie romaine qui traverse la ville et conduit d'Orléans à Senlis en franchissant la Seine par les ponts de bois reliant l'île de la Cité aux rives gauche et droite du fleuve. La foule était là pour nous accueillir, et, devant l'entrée du palais, entourée de ses enfants et de ses suivantes, Clotilde attendait Clovis.

« Je sais qu'elle m'a vu et, quand elle a levé légèrement le bras, j'ai deviné qu'elle me bénissait, me remerciant d'avoir veillé sur le roi qui revenait victorieux, consul et Auguste. Après...

Parthénius s'étendit sur sa couchette ; sa respiration était devenue saccadée. Il ne prononçait plus que de courtes phrases que j'avais du mal à coudre ensemble pour en faire un récit harmonieux.

Il avait résidé au palais royal et avait plusieurs fois été consulté par Clotilde, qui veillait sur la construction de la basilique que Clovis avait fait le vœu de dédier à saint Pierre.

Le monument se dressait au centre de la nécropole où reposait Geneviève. Il devait donc abriter le tombeau de la sainte qui avait si souvent inspiré et guidé Clovis.

Peu à peu avait surgi du sol une basilique de plus de deux cents pieds de long sur soixante de large. Des artistes venus d'Orient y avaient travaillé, décorant de mosaïques les murs de la nef et de la crypte où reposait Geneviève. Plus tard, avait répété Clovis, c'est là, près d'elle, qu'il voulait que fussent placés son sarcophage et celui de la reine Clotilde.

On saurait ainsi, dans la suite des temps, ce que le roi des Francs, ce roi chrétien devait à Geneviève, et comment il avait choisi Paris pour être à la fois sa capitale et sa dernière demeure.

Les travaux s'étaient étendus bien au-delà de la basilique. C'était tout l'espace compris entre le sommet du mont Lucotecius — où Clovis avait lancé sa francisque —, la Seine et son petit affluent, la Bièvre, qui était transformé. Les constructions franques entouraient désormais ces grands vestiges romains : le forum, les thermes, les arènes de Lutèce.

— Clovis le Franc, Clovis le barbare, mais Clovis consul et Auguste par la volonté de l'empereur de Byzance, murmura Parthénius en se soulevant sur sa couchette. Il était ainsi l'héritier de Rome, mais aussi le fondateur d'un royaume nouveau, un royaume franc qui avait réussi à unifier autour de lui une grande partie de la Gaule, un royaume chrétien dont Paris était la capitale.

Puis il se laissa retomber en ajoutant d'une voix essoufflée :

— Mais l'œuvre des hommes ne doit sa grandeur qu'à Dieu.

Il se retourna vers moi.

— Les rois, parvenus au faîte de la gloire, l'oublient trop souvent.

Puis, dans un faible soupir :

— Clovis aussi n'était qu'un roi.

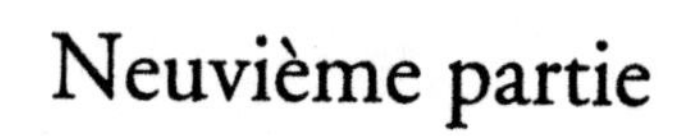

Neuvième partie

27.

— Ce que je vais te raconter maintenant sent la mort, me dit Parthénius.

C'était quelques jours après qu'il m'eut fait le récit du triomphe de Clovis à Tours et de son retour à Paris, devenu capitale du royaume.

— Le sang suinte partout, ajouta-t-il d'une voix presque éraillée.

Il s'était masqué les yeux avec sa paume droite, et, tête baissée, comme s'il se refusait à voir les traînées rouges qui rayaient les dernières années du règne de Clovis, il s'insurgea :

— Personne, autour de Clovis, ne parut étonné que ce roi chrétien tranchât lui-même la gorge de ses proches parents afin que les fils de Clotilde fussent ses seuls héritiers. Personne ne s'indigna qu'il s'emparât, en en massacrant les souverains, des autres royaumes francs.

Il secoua vivement la tête.

— Au contraire ! Les évêques dont j'entendis les propos se félicitaient de ces meurtres. Clovis, à les entendre, poursuivait le dessein de Dieu, et Celui-ci lui en saurait gré, même si les moyens employés étaient ceux des barbares.

Parthénius reposa sa main à plat sur son genou.

— Je me souviens d'un de ces pères de l'Église qui, alors que nous venions d'apprendre comment Clovis avait fait assassiner certains rois francs, déclara :

« — Ainsi Dieu prosterne chaque jour ses ennemis sous la main de Clovis et agrandit le royaume franc parce que Clovis marche d'un cœur droit devant lui et fait ce qui plaît à Dieu.

Le vieillard se dressa avec vivacité pour s'exclamer :

— Mais qui, sinon les hommes, fait parler Dieu ?

Puis il se rassit lourdement, cachant de nouveau son visage entre ses mains, murmurant qu'il se pliait aux choix de l'Église dont il n'était qu'un des serviteurs. Il l'avait montré tout au long de sa vie. Et il reconnaissait que Clovis avait bénéficié de la bienveillance divine.

— Mais ce n'était qu'un homme, répéta-t-il. Avide lui aussi, tenté par le démon comme tout un chacun. Soucieux d'agrandir son royaume vers le nord, puisque, en Provence, les troupes de Théodoric le Grand avaient, d'Arles jusqu'aux Pyrénées, chassé les soldats francs et burgondes qui tentaient de s'emparer des dernières villes tenues par les Wisigoths.

« Théodoric le Grand s'était montré on ne peut plus habile, opposant sa clémence à la brutalité sanguinaire de ceux qu'il fustigeait désormais sous le nom de barbares : les Francs de Clovis, les Burgondes de Gondebaud. Théodoric, roi d'Italie, se présentait comme le continuateur de Rome, le protecteur des anciennes villes romaines comme Arles, disant à leurs habitants :

« — Par la grâce de la Providence, vous voilà revenus à la société romaine et restitués à la liberté d'autrefois. Reprenez aussi des mœurs dignes du peuple qui porte la toge, dépouillez-vous de la barbarie et de la férocité. Quoi de plus heureux que de vivre sous le régime du droit, d'être sous la protection des lois et de n'avoir rien à craindre ? Le droit est la défense de tous les faibles et la source de la civilisation ; c'est le régime barbare qui est caractérisé par le caprice individuel !

« Voilà ce que disait Théodoric le Grand : façon pour lui de séduire, de rejeter les Francs de Clovis loin de la Provence.

« Sans compter que le même plaçait sur le trône du royaume wisigoth, reconstitué en Espagne après avoir été évincé d'Aquitaine, Amalaric, l'enfant qu'on n'avait pu tuer à Vouillé en même temps que son père Alaric.

Parthénius leva les mains dans un geste qui voulait marquer son impuissance.

— Tuer, tuer ! Clovis servait certes l'Église catholique contre l'hérésie arienne défendue par Théodoric le Grand, mais il ne se comportait pas autrement qu'en barbare, en homme assoiffé de pouvoir. Ainsi voulut-il aussi s'emparer du royaume des Francs ripuaires dont la ville, Cologne, l'avait toujours attiré.

« Le vieux roi Sigebert le Boiteux s'obstinait à vivre ! Que faire alors ? Dresser contre lui son propre fils, Chlodéric, lui faire dire par le truchement d'un messager — je tiens précisément la confidence de cet homme :

« — Voilà, Chlodéric, que ton père n'est plus qu'un vieillard bancal ; s'il venait à mourir, tu hériterais de son royaume et deviendrais notre ami.

« Clovis tentateur ! Et Chlodéric de faire égorger son père !

« — Mon père est mort, fait-il dire à Clovis ; me voilà en possession de son trésor et de son royaume. Envoyez-moi des hommes de confiance à qui je remettrai de plein gré la part qui vous conviendra de ses richesses...

Parthénius tendit la main vers moi comme pour prêter serment.

— J'ai entendu les envoyés de Clovis se vanter en riant d'avoir fracassé d'un coup de hache la tête de

Chlodéric au moment où, penché sur le coffre contenant le trésor paternel, il y plongeait les mains.

« Le sang, raconta l'un de ces hommes, avait, en séchant, formé sur les pièces une carapace sombre. Mais il avait suffi de les laver à grande eau pour que l'éclat du bel or reparaisse.

« Clovis sut se montrer généreux avec ces assassins.

« J'ai dû l'accompagner à Cologne au lendemain du crime. Je l'ai entendu parler devant l'assemblée des Francs ripuaires avec la voix de la franchise, les yeux brillants de vérité. Il leur a dit :

« — Écoutez ce qui est arrivé. Pendant que je naviguais sur l'Escaut, Chlodéric, fils de Sigebert, mon parent et allié, faisait courir le bruit que je voulais faire assassiner votre souverain, notre Sigebert qui combattit les Alamans à mes côtés. Chlodéric envoya des assassins qui mirent à mort Sigebert. Lui-même périt massacré, je ne sais par qui, pendant qu'il ouvrait le trésor paternel. Pour moi, je n'ai aucune complicité dans ces actes. Je sais que ce serait un crime de verser le sang de mes proches. Mais, puisque le mal est fait, je vous donne un conseil dont vous vous trouverez bien si vous le suivez : soumettez-vous à moi, et vous serez sous ma protection !

« Les Francs ripuaires acclamèrent Clovis et le hissèrent sur leurs boucliers, qu'ils soulevèrent. Ils le voulaient pour roi.

Parthénius se pencha vers moi et marmonna :

— Tu as entendu ? Clovis leur a dit : « Je sais que ce serait un crime de verser le sang de mes proches. » Et il venait de faire tuer Chlodéric, et il avait incité ce dernier à assassiner Sigebert ! Et lui-même, souviens-t'en, avait égorgé Chararic, et Ragnachaire, et le fils de ce dernier. Mais il ne se trouvait plus aucun de ses parents pour survivre et prétendre au trône : seuls les fruits de sa semence hériteraient de lui.

Parthénius ferma le poing.

— Désormais, ce n'est plus dans le ventre des femmes germaniques que gît la souveraineté, mais dans la semence de l'homme-roi ! Ce sont les fils du père qui règnent !

À nouveau il dissimula ses yeux sous ses paumes.

— À l'époque, nul ne s'est soucié de ces meurtres. Il semblait que ces crimes avaient l'assentiment de Dieu puisqu'ils préservaient l'unité du royaume, cimentant les peuples francs dont Clovis était devenu le roi chrétien. Car ce n'était plus seulement la Gaule qui se trouvait rassemblée, mais aussi la Germanie.

Parthénius haussa les épaules.

— Les évêques se sont tous félicités de l'habileté et de la ruse dont Clovis avait fait montre pour étendre le royaume de la vraie foi. Quant aux crimes qu'il avait dû commettre à cette fin, il fallait prier pour que Dieu les lui pardonnât.

Le vieil homme soupira :

— Et, comme les autres, j'ai prié.

28.

— C'étaient les derniers mois et le sang n'avait pas cessé de couler…

Parthénius s'exprimait d'une voix lasse, recroquevillé sur lui-même comme s'il voulait économiser ses forces, ne pas laisser s'éteindre la braise de vie qui rougeoyait encore en lui.

— Mais je n'ai pas assisté à cette guerre, poursuivit-il. J'étais couché dans une petite chambre du palais royal, le corps si douloureux qu'il me semblait qu'à chaque mouvement mes os allaient se briser, déchirer ma chair et ma peau. Peut-être était-ce le récit que m'avait fait Clotilde du massacre perpétré par les Thuringiens qui avait aggravé mon mal et avivé ma souffrance ?

Parthénius s'interrompit et, levant la tête, m'interrogea du regard.

— Connais-tu ce peuple de barbares germains, ces Thuringiens qui, partis de la vallée de la Saale, avaient gagné les bords du Danube, puis s'étaient répandus jusqu'au Rhin ? Sans doute pour conclure avec eux une alliance contre Clovis, Théodoric le Grand avait donné sa fille Amalaberge à leur roi. De son côté, Clovis avait tenté d'acheter la paix avec eux en leur confiant en otage des femmes franques de haut lignage, afin de prouver à ces barbares qu'il ne songeait nullement à les attaquer.

Le vieillard secoua la tête.

— Mais les haines qu'inspire un grand roi sont sans limites. L'envie, l'ambition, le désir d'attaquer et de vaincre, l'espoir de butin, les incitations de Théodoric le Grand avaient rendu ces Thuringiens comme fous.

« Un jour, Clotilde est venue s'asseoir près de moi. Les yeux rougis, les mains tremblantes, elle m'a raconté :

« — Ils ont tué plus de deux cents jeunes filles franques. Ils leur ont attaché les bras à la tête de chevaux dont ils ont piqué la croupe avec leurs lances. Les jeunes filles ont été mises en lambeaux, écartelées. D'autres ont été étendues sur les chemins, ligotées à des pieux profondément fichés en terre, puis ils ont fait rouler sur elles des chariots chargés de blocs de pierre, et quand les os de ces malheureuses ont été brisés, ils ont lâché les chiens, leur offrant ces corps martyrisés en pâture. Et les oiseaux rapaces sont venus les disputer aux molosses.

« Clotilde s'était signée et j'avais fermé les yeux, le corps pantelant, souhaitant que Dieu me prenne, m'arrache à ce monde cruel.

« Puis je me suis dit que Clovis, qui avait fendu tant de têtes, tranché tant de gorges, aussi bien celles de ses ennemis que celles de ses proches, était, comparé à ces barbares païens, un homme juste et bon, un chrétien qui tuait sans cruauté. Et je lui ai rendu grâces pour avoir converti les Francs à la juste foi, tenté de faire respecter la loi dans son royaume, évitant que ne s'y déchaîne la vengeance.

Parthénius se redressa et tendit le bras comme un orateur qui s'apprête à défendre une cause.

— Car je dois rendre au moins cette justice à Clovis, dit-il d'une voix forte. Il n'était plus un barbare pour qui la vie d'un ennemi ou d'un rival vaut moins que celle d'un chien !

« Les Thuringiens avaient massacré les femmes franques pour qu'elles ne puissent donner de descendance. Clovis avait agi de même avec ses parents, mais, avec les peuples, il s'était montré juste. La loi des Francs saliens, cette loi salique qu'il avait promulguée, avait pour fin d'éviter les guerres privées et de remplacer le meurtre par l'amende. Celui qui touchait le sein d'une femme, on ne le tuait plus : il devait payer quarante sous ! La femme n'était plus livrée aux chiens lorsqu'on craignait qu'elle n'héritât de la terre du clan. La loi salique lui interdisait désormais d'hériter, mais sa vie était préservée. Et Clovis avait approuvé les évêques qui, réunis en concile à Orléans, avaient édicté que l'homme recherché qui se réfugiait dans une église obtenait le droit d'asile. Oui, malgré le sang qui lui poissait les mains, Clovis était chrétien. Il avait voulu et fait en sorte que l'Église fût souveraine.

D'un geste de la main, Parthénius partagea l'espace devant lui.

— Clovis n'ignorait pas qu'il y avait deux puissances, celle du roi et celle des évêques. Et que ceux-ci, dans l'ordre de la religion, lui étaient supérieurs.

Le vieillard se pencha vers moi.

— Sais-tu pourquoi il n'était plus un barbare, pourquoi il n'était ni un païen à la manière des anciens Romains, ni un hérétique ?

Il ne me laissa pas le temps de répondre :

— Parce que Clovis savait qu'il était seulement homme, roi mais mortel, et non, comme les empereurs romains ou les souverains germaniques, des hommes divinisés qui se présentaient à leurs peuples comme *deus et pontifex maximus.*

Il conclut, l'index dressé :

— Clovis : ni Dieu ni prêtre, mais homme-roi. Chrétien comme un homme, impitoyable comme un roi.

Parthénius se détourna et alla enfoncer ses mains dans l'anfractuosité où il avait glissé ses parchemins.

Il les sortit tous et, les posant sur la petite table, murmura qu'il voulait me lire une dernière lettre, celle que les évêques rassemblés à Orléans, le dimanche 10 juillet 511, avaient adressée à Clovis.

— Ils avaient obtenu beaucoup plus que le droit d'asile : celui de racheter des prisonniers. Ils savaient que Clovis avait offert à nombre d'entre eux de somptueux présents afin d'enrichir le trésor de l'Église et de lui permettre ainsi d'aider les plus pauvres.

Parthénius brandit un manuscrit.

— Quand je suis entré dans la nef de la cathédrale Sainte-Croix d'Orléans où les évêques étaient réunis, entourés de nombreux clercs, je me suis souvenu des premiers temps du règne de Clovis, trente ans auparavant. Le roi était encore païen. Hérétique, le royaume wisigoth dominait la partie la plus riche de la Gaule, et celle-ci était assaillie par les Alamans, menacée par les Burgondes. Le pouvoir de Clovis était contesté par celui des autres rois francs.

« Comme tout avait changé ! L'Église était puissante et respectée. Dans tout l'Occident, on reconnaissait Clovis comme le souverain le plus puissant. Consul et Auguste, il était le roi chrétien qui avait extirpé l'hérésie. Les trente-deux évêques venus à Orléans — sur les soixante-quatre que comptait alors la Gaule — lui en exprimèrent leur reconnaissance.

Parthénius avait placé le manuscrit dans le halo de lumière de la bougie. Je découvris le grand parchemin couvert d'une écriture ronde qui faisait ressembler cette page à un jardin soigneusement planté, à des allées dessinant des rangées régulières de plantes taillées.

— Écoute ce qu'écrivaient les évêques en ce dimanche 10 juillet 511 :

« À leur Seigneur, fils de la sainte Église catholique, le très glorieux roi Clovis, tous les évêques à qui vous avez ordonné de venir au concile.

Puisqu'un si grand souci de notre glorieuse foi vous excite au service de la religion, que dans le zèle d'une âme vraiment sacerdotale vous avez réuni les évêques pour délibérer en commun sur les besoins de l'Église, nous, en conformité de cette volonté et en suivant le questionnaire que vous nous avez donné, nous avons répondu par les sentences qui nous ont paru justes. Si ce que nous avons décidé est approuvé par vous, le consentement d'un si grand roi augmentera l'autorité des résolutions prises en commun par une si nombreuse assemblée de prélats.

Parthénius referma le manuscrit, puis murmura :

— J'ai été le messager des évêques parce que j'étais le clerc le plus proche du roi. Je lui ai lu la lettre alors que, debout, il regardait par la fenêtre du palais royal la basilique Saint-Pierre dont on apercevait le clocher dominant les vignobles du mont Lucotecius.

« C'est là, dans cette basilique, qu'il voulait que son sarcophage fût déposé aux côtés de celui de

Geneviève, Clotilde devant elle aussi être inhumée dans la même crypte.

« Clovis est venu vers moi et m'a posé la main sur l'épaule. C'était une main lourde aux poignets ceints de bracelets. J'ai pensé qu'elle avait souvent brandi la francisque et tué.

« J'ai osé lever les yeux sur Clovis, mais j'ai constaté qu'il ne me voyait pas : il regardait droit devant lui.

« Je me suis interrogé alors que sa main continuait de m'écraser l'épaule : cet homme-là, ce roi-là avait-il vraiment, comme l'avaient écrit les évêques, l'« âme sacerdotale » ?

« Il avait agi au mieux de ses intérêts, au mieux de ceux de l'Église, les uns et les autres se renforçant mutuellement. Mais qui pouvait connaître son âme ? Dieu seul les sonde. Dieu seul les juge.

Parthénius baissa la tête.

— Je ne savais pas que, pour lui, l'heure du jugement de Dieu était si proche.

29.

— Un homme sait toujours quand sa mort approche, murmura Parthénius. On essaie de détourner la tête, de fermer les yeux, mais on perçoit alors le souffle rauque, impatient, de l'ombre noire, on devine même le froissement des voiles dont elle s'enveloppe. On a beau écraser ses oreilles sous ses paumes, on entend, jusqu'au tréfonds de soi, le son aigu de la lame que la mort affûte en attendant de frapper.

Tout en parlant, le vieillard s'était bouché les oreilles et je crus qu'il venait de me décrire ce qu'il avait déjà ressenti souvent, lui qui pourtant avait prétendu souhaiter ardemment la mort et avait prié Dieu, devant moi, pour qu'elle vînt l'emporter aux cieux.

Mais peut-être, pensai-je en l'écoutant cette nuit-là, qu'il m'avait jusqu'alors caché ce qu'il éprouvait et venait de faire l'aveu de ses véritables sentiments.

Sans doute le regardai-je alors avec compassion, car il secoua la tête et dit non sans une sorte de fureur :

— Ne te trompe pas ! J'attends la mort avec impatience. Je ne crains ni sa vue, ni le grincement de ses dents, ni l'entrechoquement de ses os ! Je parle ici seulement de Clovis dans les jours qui précédèrent son trépas, le 27 novembre 511.

À cet instant, les traits de Parthénius se creusèrent.

— C'était un homme jeune encore, si je songe à l'âge auquel Geneviève s'en était allée, ou bien à Remi qui, à Reims, vivait toujours. Clovis avait quarante-cinq ans et, depuis plusieurs semaines, il se rendait chaque jour sur le chantier de la basilique, s'irritant de la lenteur des travaux, faisant le tour du bâtiment rectangulaire, entrant dans la crypte, surveillant la mise en place des mosaïques, des tapisseries. Il contemplait le plafond lambrissé à la manière antique puis restait longtemps, sous le triple portique orné de peintures et de mosaïques, à regarder le crépuscule embraser l'horizon. C'est lui qui avait voulu que la basilique s'ouvrît ainsi vers l'ouest.

Parthénius croisa les bras, baissa la tête.

— Chaque fois que je l'ai accompagné, que je l'ai vu s'agenouiller devant le sarcophage contenant le corps de Geneviève, puis que je l'ai entendu ordonner qu'on affectât au chantier de nouveaux ouvriers prélevés parmi les prisonniers wisigoths, j'ai pensé qu'il craignait que sa mort n'arrivât avant la fin des travaux et qu'il ne pût ainsi reposer près de Geneviève.

« Il a tenu à ce que la crypte fût achevée avant le reste de la basilique.

« Un jour je l'ai vu se tourner vers Clotilde, lui murmurer quelque chose, et j'ai deviné qu'il lui demandait de veiller à ce qu'il fût bien déposé là, dans cette crypte, et à ce qu'après sa propre mort elle le rejoignît dans la basilique dont elle aurait parachevé la construction. Au mouvement de tête de Clotilde, il m'a semblé qu'elle tentait de le rassurer, quoique sans conviction, comme si elle aussi savait que la mort rôdait là, derrière eux, et qu'elle allait frapper Clovis.

Parthénius répéta plusieurs fois d'une voix de plus en plus sourde :

— Il le savait, il le savait !

« Je l'ai compris quand je l'ai vu ordonner à ses orfèvres de réaliser une couronne d'or, garnie de pierres précieuses, qu'il voulait faire parvenir au pape afin de bien marquer, par cet hommage — le premier qu'un roi chrétien faisait — qu'il honorait l'Église universelle, reconnaissant ainsi sa prééminence spirituelle.

« Chaque jour, j'ai su qu'au retour de sa visite au chantier de la basilique il se rendait dans l'atelier des orfèvres afin de veiller à l'achèvement de cette couronne d'or votive qu'il appelait le Regnus.

Peu à peu, Parthénius s'était mis à parler plus bas. À la fin, ce ne fut plus qu'un murmure et je dus me rapprocher pour entendre ce qu'il disait.

— Un matin, j'ai appris que le Regnus était parti sous escorte pour Rome, et j'ai été effrayé par la certitude qui m'a aussitôt pénétré : Clovis allait mourir.

Le vieil homme baissa la tête, joignit les mains.

— La mort l'a pris le 27 novembre 511, après trente ans de règne. On l'a revêtu de sa tunique pourpre et de sa chlamyde rouge de consul et d'Auguste. Mais sa longue chevelure blonde de roi païen ondulait toujours sur ses épaules.

« On l'a placé dans un sarcophage de pierre en forme de trapèze qui avait pour tout ornement des croix sur le dessus et les côtés.

« Puis le cortège s'est dirigé vers la basilique par la voie romaine qui longe les anciens thermes.

« Le sarcophage avait été placé sur un chariot ; il était trop lourd pour être porté par des épaules d'hommes.

« Toute la garde personnelle de Clovis suivait, en armes. Clotilde marchait derrière le chariot, entourée de ses enfants.

« Il y avait le fils aîné, d'une vingtaine d'années, Thierry, dont elle n'était pas la mère, puis ses propres fils, Clodomir, Childebert et Clotaire, des jeunes gens de seize, quinze et quatorze ans. Sa fille Clotilde se tenait près d'elle.

« La foule, parmi laquelle se trouvaient côte à côte Francs, habitants de Paris, Gallo-Romains, Wisigoths, accompagna le sarcophage jusqu'à la crypte de la basilique.

« Tous semblaient unis dans la tristesse et la prière, mais que dure l'œuvre d'un homme quand la mort le prend ?

« Que devient l'unité d'un royaume quand le roi disparaît ?

30.

— Tu as voulu connaître cette histoire ? commence Parthénius. Sache que la mort de Clovis ne la termine pas.

Il s'est avancé vers moi, son poing fermé brandi devant mon visage.

Je suis étonné par sa colère, le ton agressif de sa voix, ses traits déformés, les lèvres serrées par l'amertume et le ressentiment.

— Maintenant, tu voudrais sans doute que je me taise, que je te laisse croire que le bien l'a emporté sur le mal, la juste foi chrétienne sur la barbarie païenne, et que tu peux te contenter d'aller t'agenouiller devant les sarcophages de Geneviève, de Clovis et de Clotilde dans la crypte de la basilique Saint-Pierre, sur le mont Lucotecius. Puis, tes prières dites, tu regarderas Paris depuis le portique de la basilique, et, voyant le palais royal, tu loueras le roi qui a su faire de cette cité la capitale d'un grand royaume chrétien.

Parthénius secoue son poing comme s'il voulait m'en frapper, et je recule jusqu'à heurter la paroi de la grotte.

En s'approchant, sans doute s'est-il haussé sur la pointe des pieds, car il me semble que je ne l'ai jamais vu si grand, mais peut-être me suis-je moi-même tassé, mon dos glissant contre la roche ?

— Eh bien non, reprend Parthénius, tu ne partiras pas ainsi, avec seulement la saveur de l'ambroisie dans la bouche !

Il me présente ses mains comme si elles portaient une coupe à mes lèvres pour me forcer à boire.

— Je veux que tu connaisses le goût du poison ! s'exclame-t-il. Je veux que tu découvres comme tout est trouble au fond de cette histoire, que tu apprennes ainsi que l'homme n'en a jamais fini avec ses démons, qu'il ne suffit pas du baptême d'un roi pour que l'ordre règne et que le sang cesse d'être répandu.

Parthénius me tourne le dos et, s'éloignant, va s'asseoir sur le tabouret.

— Car si le roi Clovis est mort, il laisse quatre jeunes fils, Thierry, Clodomir, Childebert, Clotaire, et leur pauvre sœur, Clotilde. Et que crois-tu qu'ils veuillent, ces jeunes gens-là, baptisés pourtant, sinon se partager le royaume tout juste assemblé ? Ils vont rejeter la sœur, la marier à Amalaric — tu te souviens : l'enfant d'Alaric qui avait échappé à la mort sur le champ de bataille de Vouillé et que Théodoric le Grand avait fait roi des Wisigoths !

Parthénius s'est pris la tête à deux mains.

— Et puis il y a Clotilde, leur mère, la sainte femme. Elle se souvient que, jadis, le roi burgonde,

Gondebaud, a tué ses père et mère. Et parce que les démons l'aveuglent, elle pense que le temps de la vengeance est venu. Elle réunit ses fils. Elle leur parle de Sigismond, le fils héritier de Gondebaud, chrétien de la vraie foi pourtant. Mais qu'importe ! Il faut conquérir le royaume burgonde, clame-t-elle. Et elle pousse ses trois fils à la guerre.

Parthénius laisse retomber ses mains, me regarde et me demande d'approcher. Il répète d'une voix d'où toute colère a disparu :

— J'ai entendu Clotilde dire à ses fils :

« — Je vous ai nourris tendrement. Il est temps que vous connaissiez l'outrage que j'ai subi, le malheur que le roi burgonde a fait tomber sur moi. Il est temps que vous vengiez mon père et ma mère !

Le vieillard se cache à nouveau la tête entre les mains.

— Elle a dit cela, murmure-t-il, et les fils étaient si avides de nouvelles terres qu'ils se sont jetés sur le royaume burgonde. Pourtant — le vieil homme écarte les mains —, pourtant, ils avaient tous eu leur large part ! Thierry était roi à Reims, Childebert à Paris, Clodomir à Orléans, Clotaire à Soissons. Leurs royaumes étaient vastes. Ils eussent pu s'en contenter, s'entendre. Mais la jalousie les déchirait. Le goût du pouvoir et le désir de conquête les aveuglaient. Clotaire allait épouser sept femmes ! Clodomir, lui, se précipita dans le royaume burgonde et égorgea Sigismond et ses enfants, puis jeta leurs cadavres dans un puits !

Parthénius s'est levé et marche vers moi.

— Tous redevenus barbares, redevenus païens ! Même la reine Clotilde ! Tous rendus sourds à la voix de Dieu, aux prophéties des hommes saints qui avaient dit à Clodomir :

« — Si vous vous souvenez de la foi de Dieu et que, revenant à une meilleure inspiration, vous épargnez Sigismond et sa famille, Dieu sera avec vous et vous remporterez la victoire. Si, au contraire, vous les faites mourir, vous tomberez vous-même aux mains de vos ennemis ; vous périrez sous leurs coups, et il sera fait à vous et aux vôtres comme vous aurez fait à Sigismond et aux siens !

« Et la prophétie de saint Avitus se réalisa.

Parthénius a levé les bras ; jamais je ne l'ai vu aussi violent, amer.

— Les corps de Sigismond et de ses enfants avaient à peine commencé à pourrir au fond du puits où Clodomir les avait jetés, que la tête de ce dernier fut promenée au bout d'une lance, ses longs cheveux collés par le sang.

Il hausse les épaules tout en s'éloignant.

— À la barbarie répond la barbarie ! Clodomir est tombé dans un guet-apens que les Burgondes lui avaient tendu, et peut-être ses frères avaient-ils favorisé l'embuscade pour dépecer son royaume à leur profit !

Parthénius revient vers moi et, narquois :

— Ce n'est pas encore le poison au fond de la coupe, seulement la lie ! Tu vas boire, tu en oublieras le nectar et l'ambroisie.

Il s'est rassis.

— Clodomir avait trois fils : Théodebald, Gunther et Clodoald. Clotilde les avait recueillis, les enveloppant de son amour mais les écrasant aussi de son ambition :

« — Il me semblera que je n'ai pas perdu mon fils Clodomir lorsque je vous verrai prendre sa place et régner sur son royaume, leur disait-elle.

Mais ce royaume était entre les mains de Childebert et de Clotaire, leurs oncles. Et connais-tu un seul roi, fût-il baptisé, peux-tu citer le nom d'un empereur, fût-il chrétien, qui soit disposé à rendre ce dont il s'est emparé ?

Parthénius s'interrompt, puis lâche dans un murmure :

— Voilà le poison.

D'un signe, il me demande à présent de le rejoindre.

Il s'est assis sur sa couchette et je prends sa place sur le tabouret.

— N'oublie pas que ces rois — Childebert, Clotaire — ont été baptisés, et regarde-les agir. Ils craignent que leur mère ne leur impose un jour de restituer aux fils de Clodomir son royaume. Aussi les attirent-ils dans le palais royal de Childebert, à Paris. Et ils envoient un messager à Clotilde — un homme que j'ai connu, Aracadius, agile comme un serpent.

« Il se présente devant la reine en tenant dans une main un glaive et dans l'autre des ciseaux. Il les brandit et dit :

« — Je suis chargé par les rois de vous demander ce qu'il faut faire de vos petits-enfants : les tondre ou les mettre à mort ?

« Les tondre signifiait : faire d'eux des moines et non plus des rois !

Parthénius serre son front entre ses mains comme s'il voulait empêcher les souvenirs de resurgir.

— Sais-tu ce qu'a crié Clotilde ?

Parthénius s'est levé et se remet à aller et venir dans la grotte.

— Comme une femme germanique, comme une barbare, elle, la plus chrétienne des femmes, la reine qui avait voulu que ses fils soient baptisés avant même que leur père le fût, elle a hurlé — j'entends encore sa voix, un rugissement :

« — J'aime mieux les savoir morts que tondus !

« Voilà le poison.

Parthénius appuie son front contre la paroi de la grotte.

— Imagine maintenant Clotaire et Childebert qui, dans les salles du palais, poursuivent les enfants, Théodebald, Gunther, Clodoald. On arrache à leur folie meurtrière Clodoald, qui n'a que cinq ans. Mais les deux autres, âgés de dix et sept ans, nul ne peut les sauver. Ils tentent d'échapper à la mort, supplient alors que leur sang déjà coule. Un temps sensible à leurs cris, Childebert hésite. Clotaire le menace alors à son tour, et Childebert les livre. Et le sang des petits-fils de Clovis se répand sur les dalles et gicle sur les tapisseries.

« Voilà le poison. La barbarie.

Me tournant le dos, Parthénius reste abîmé dans le silence.

Au bout d'un long moment, il reprend d'une voix lasse :

— J'ai accompagné Clotilde lorsqu'elle a déposé les corps de ses deux petits-fils dans la crypte de la basilique Saint-Pierre aux côtés de ceux de Geneviève et de Clovis. Puis celui de sa fille, humiliée, battue, martyrisée par son époux, Amalaric, est venu les rejoindre.

De la main, le vieillard décrit un cercle.

— C'était comme si Dieu avait voulu rappeler à tous qu'en chaque chrétien le démon barbare se tient aux aguets, prêt à bondir, à s'emparer de toute l'âme, à permettre à l'ivresse du sang de voiler le regard.

Il se signe.

— En voyant Clotilde pleurer, agenouillée devant les sarcophages de ces enfants — ses petits-fils ! —, j'ai su qu'elle avait chassé d'elle la barbare, la Germanique, cette femme vindicative qui, après la mort de Clovis, l'avait entraînée. Elle s'est retirée à Tours, et je l'y ai suivie.

« Chaque jour, elle allait prier sur la tombe de saint Martin. Les pèlerins s'agenouillaient sur son passage. Ils la vénéraient. Elle leur faisait une aumône généreuse et les remerciait d'accepter ce qu'elle leur offrait. Par ses dons, elle permit de reconstruire des églises, de fonder des monastères.

« Je la regardais : ce n'était plus la reine couronnée, mais une servante de Dieu.

Parthénius s'est à présent glissé sur sa couchette et me tourne le dos. Je l'entends murmurer encore :

— Je suis resté près d'elle sans jamais parler de ce que nous avions vécu ni évoquer les hommes saints ou les barbares que nous avions côtoyés. Mais, souvent, nous nous asseyions l'un en face de l'autre, elle me prenait les mains et nous priions ensemble d'une même voix, sans nous quitter des yeux.

Le vieillard se soulève, incline la tête puis me regarde.

— Dieu l'a rappelée à lui dans l'année 548, et je me suis alors retiré ici, au monastère de Marmoutier, dans cette grotte qui est mon sarcophage et où j'attends.

Il me semble vouloir s'enfoncer davantage encore dans cette cavité qui lui tient lieu de couchette.

Je ne distingue plus dans la demi-obscurité qu'une forme un peu plus sombre.

— Laisse-moi maintenant, me dit-il. Tu seras le dernier auquel j'aurai parlé.

Je suis sorti de la grotte.

Le brouillard noyait la vallée. On ne voyait plus ni le ciel, ni la terre.

Mais j'ai entendu le bruit de l'eau.

Le fleuve coulait au pied de la falaise, poursuivant sa route vers l'océan.

Table

DU MÊME AUTEUR

ROMANS

Le Cortège des vainqueurs, Robert Laffont, 1972.
Un pas vers la mer, Robert Laffont, 1973.
L'Oiseau des origines, Robert Laffont, 1974.
Que sont les siècles pour la mer, Robert Laffont, 1977.
Une affaire intime, Robert Laffont, 1979.
France, Grasset, 1980 (et Le Livre de Poche).
Un crime très ordinaire, Grasset, 1982 (et Le Livre de Poche).
La Demeure des puissants, Grasset, 1983 (et Le Livre de Poche).
Le Beau Rivage, Grasset, 1985 (et Le Livre de Poche).
Belle Époque, Grasset, 1986 (et Le Livre de Poche).
La Route Napoléon, Robert Laffont, 1987 (et Le Livre de Poche).
Une affaire publique, Robert Laffont, 1989 (et Le Livre de Poche).
Le Regard des femmes, Robert Laffont, 1991 (et Le Livre de Poche).
Un homme de pouvoir, Fayard, 2002.

SUITES ROMANESQUES

La Baie des Anges :
I. *La Baie des Anges*, Robert Laffont, 1975 (et Pocket).
II. *Le Palais des Fêtes*, Robert Laffont, 1976 (et Pocket).
III. *La Promenade des Anglais*, Robert Laffont, 1976 (et Pocket).
(Parue en 1 volume dans la coll. « Bouquins », Robert Laffont, 1998.)

Les hommes naissent tous le même jour :
I. *Aurore*, Robert Laffont, 1978.
II. *Crépuscule*, Robert Laffont, 1979.

La Machinerie humaine :
- *La Fontaine des Innocents*, Fayard, 1992 (et le Livre de Poche).
- *L'Amour au temps des solitudes*, Fayard, 1992 (et le Livre de Poche).
- *Les Rois sans visage*, Fayard, 1994 (et le Livre de Poche).
- *Le Condottiere*, Fayard, 1994 (et le Livre de Poche).
- *Le Fils de Klara H.*, Fayard, 1995 (et le Livre de Poche).
- *L'Ambitieuse*, Fayard, 1995 (et le Livre de Poche).
- *La Part de Dieu*, Fayard, 1996 (et le Livre de Poche).
- *Le Faiseur d'or*, Fayard, 1996 (et le Livre de Poche).

- *La Femme derrière le miroir*, Fayard, 1997 (et le Livre de Poche).
- *Le Jardin des Oliviers*, Fayard, 1999 (et le Livre de Poche).

Bleu, Blanc, Rouge :
I. *Mariella*, Éditions XO, 2000 (et Pocket).
II. *Mathilde*, Éditions XO, 2000 (et Pocket).
III. *Sarah*, Éditions XO, 2000 (et Pocket).

Les Patriotes :
I. *L'Ombre et la Nuit*, Fayard, 2000 (et le Livre de Poche).
II. *La flamme ne s'éteindra pas*, Fayard, 2001 (et le Livre de Poche).
III. *Le Prix du sang*, Fayard, 2001 (et le Livre de Poche).
IV. *Dans l'honneur et par la victoire*, Fayard, 2001 (et le Livre de Poche).

Les Chrétiens :
I. *Le Manteau du Soldat*, Fayard, 2002.

POLITIQUE-FICTION

La Grande Peur de 1989, Robert Laffont, 1966.
Guerre des gangs à Golf-City, Robert Laffont, 1991.

HISTOIRE, ESSAIS

L'Italie de Mussolini, Librairie Académique Perrin, 1964, 1982 (et Marabout).
L'Affaire d'Éthiopie, Le Centurion, 1967.
Gauchisme, Réformisme et Révolution, Robert Laffont, 1968.
Histoire de l'Espagne franquiste, Robet Laffont, 1969.
Cinquième Colonne, 1939-1940, Plon, 1970 et 1980, Éditions Complexe, 1984.
Tombeau pour la Commune, Robert Laffont, 1971.
La Nuit des Longs Couteaux, Robert Laffont, 1971 et 2001.
La Mafia, mythe et réalités, Seghers, 1972.
L'Affiche, miroir de l'Histoire, Robert Laffont, 1973, 1989.
Le Pouvoir à vif, Robert Laffont, 1978.
Le XXe siècle, Librairie Académique Perrin, 1979.
La Troisième Alliance, Fayard, 1984.
Les idées décident de tout, Galilée, 1984.
Lettre ouverte à Robespierre sur les nouveaux Muscadins, Albin Michel, 1986.
Que passe la Justice du Roi, Robert Laffont, 1987.
Manifeste pour une fin de siècle obscure, Odile Jacob, 1989.
La gauche est morte, vive la gauche, Odile Jacob, 1990.

L'Europe contre l'Europe, Le Rocher, 1992.
Jè. Histoire modeste et héroïque d'un homme qui croyait aux lendemains qui chantent, Stock, 1994.
L'Amour de la France expliqué à mon fils, Le Seuil, 1999.
Histoire du monde de la Révolution française à nos jours en 212 épisodes, Fayard, 2001.

BIOGRAPHIES

Maximilien Robespierre, histoire d'une solitude, Librairie Académique Perrin, 1968 et 2001 (et Pocket).
Garibaldi, la force d'un destin, Fayard, 1982.
Le Grand Jaurès, Robert Laffont, 1984 et 1994 (et Pocket).
Jules Vallès, Robert Laffont, 1988.
Une femme rebelle. Vie et mort de Rosa Luxemburg, Fayard, 2000.

Napoléon :
I. *Le Chant du départ,* Robert Laffont, 1997 (et Pocket).
II. *Le Soleil d'Austerlitz,* Robert Laffont, 1997 (et Pocket).
III. *L'Empereur des Rois,* Robert Laffont, 1997 (et Pocket).
IV. *L'Immortel de Sainte-Hélène,* Robert Laffont, 1997 (et Pocket).

De Gaulle :
I. *L'Appel du destin,* Robert Laffont, 1998 (et Pocket).
II. *La Solitude du combattant,* Robert Laffont, 1998 (et Pocket).
III. *Le Premier des Français,* Robert Laffont, 1998 (et Pocket).
IV. *La Statue du Commandeur,* Robert Laffont, 1998 (et Pocket).

Victor Hugo :
I. *Je suis une force qui va,* XO, 2001 (et Pocket).
II. *Je serai celui-là,* XO, 2001 (et Pocket).

CONTE

La Bague magique, Casterman, 1981.

EN COLLABORATION

Au nom de tous les miens, de Martin Gray, Robert Laffont, 1971 (et Pocket).

Vous pouvez consulter le site de Max Gallo sur
www.maxgallo.com

Cet ouvrage a été composé par
PARIS PHOTOCOMPOSITION
Paris

Impression réalisée sur CAMERON par
BRODARD ET TAUPIN
La Flèche

pour le compte des Éditions Fayard
en janvier 2004

Imprimé en France
Dépôt légal : janvier 2004
N° d'édition : 43542 – N° d'impression : 22209
ISBN : 2-213-61350-8
35-33-1550-9/03